Libro de cocina de freidoras de aire para principiantes

Recetas deliciosas, rápidas y fáciles para ahorrar tiempo, comer sano y disfrutar cocinando

PUBLICADO POR: Mark Evans

Tabla de Contenidos

Introducción

Este libro de cocina es el último libro que acompaña a cualquier freidora de aire. En su interior, encontrará una maravillosa selección de recetas tradicionales, modernas y alternativas. Este libro de cocina de freidoras de aire está dedicado tanto a los cocineros principiantes como a los usuarios avanzados. Si está buscando una guía adecuada para cada tipo de comida que pueda cocinar en la freidora de aire, debe tener este libro de cocina en su colección. Con este libro de cocina de freidoras de aire, usted puede convertirse en un maestro de las freidoras de aire e impresionar a su familia, amigos e invitados. Este libro de cocina está compuesto por una deliciosa colección de recetas que son adecuadas para todos los catadores. Cada receta es simple de preparar, muy fácil de cocinar, llena de sabor, y ofrece una alternativa más saludable a los alimentos fritos tradicionales.

A lo largo de las páginas de este libro, usted descubrirá una variedad de recetas dulces, saladas, cítricas y otras deliciosas. El brunch del fin de semana, la noche de una cita o la cena con un amigo - cualquiera que sea la ocasión, estas sabrosas recetas están hechas para ser compartidas juntos. Crujiente por fuera, jugoso por dentro y fácil de preparar y cocinar - este libro de cocina para la freídora de aire combina todo lo que le gusta freir con las recetas más fáciles y cotidianas para disfrutar de comidas crujientes y saludables. Le garantizamos que encontrará una maravillosa selección de recetas tradicionales, modernas y deliciosas para todos los paladares. Así que pase a la siguiente página y empieza a preparar sus propias comidas deliciosas, rápidas y fáciles que sean saludables y mejores para usted!

Capítulo 1: Freidora de aire

La freidora de aire fue desarrollada en el 2008 en Inglaterra. Es un aparato autónomo que fríe, hornea, cocina, asa y cuece al vapor los alimentos a la perfección. Consiste en un elemento calefactor, un ventilador que empuja aire caliente alrededor de la comida y una cesta para freír. El elemento calefactor dora y cruje el exterior mientras cocina el interior a una temperatura final segura.

Los beneficios de la freidora de aire:

1. La freidora de aire es mejor para la salud: La freidora de aire usa menos aceite para freír los alimentos. Usted puede usar sólo una pequeña cantidad de aceite y lograr resultados maravillosamente crujientes para el pollo, el pescado, las papas fritas y mucho más.
2. Cocinar sin molestias: Gracias a su temperatura bien regulada y a su sistema de cierre automático, la freidora de aire no requiere prácticamente ningún tipo de control. Sólo tiene que tirar o voltear la comida de vez en cuando, y el dispositivo hace todo el trabajo.
3. Desorden Mínimo: La canasta de alimentos está encerrada en la freidora de aire, por lo que no tiene que usar varias ollas o sartenes. Además, la cesta de la freidora de aire es fácil de limpiar.
4. Convenientemente eficiente: La cocción con la freidora de aire es ideal para noches muy ocupadas. Olvidese de los aparatos que consumen mucho tiempo, como un horno o una estufa.
5. Ahorro de tiempo: La freidora de aire es rápida. Le ahorra su valioso tiempo. Es más rápido cocinar con la freidora de aire que con cualquier otra cosa.
6. Limpieza rápida y fácil: La cámara de cocción y la mayoría de los componentes de la freidora de aire son aptos para el lavavajillas.
7. Más sabor: El sabor de la comida frita se puede obtener con una freidora de aire. La comida no tiene el

sabor de la grasa en la que se cocina. Se utiliza sólo una pequeña cantidad de aceite, y se consigue el sabor y la textura de una fritura.

8. Cocina versátil: La freidora de aire es más que una freidora. También se puede asar y hornear a la parrilla. Muchos usuarios ven la freidora de aire como un horno convencional pero más pequeño que una freidora.
9. Segura: La freidora de aire es segura de usar. Sus componentes son seguros para los alimentos, y el proceso de cocción en sí mismo le ayuda a evitar accidentes en la cocina que pueden resultar en lesiones y quemaduras.

Consejos de uso:

1. Seque los alimentos marinados antes de colocarlos en la canasta de la freidora de aire. Esto ayudará a prevenir el humo y las salpicaduras.
2. No sobrecargue su freidora de aire. Déle mucho espacio a sus alimentos para que el aire pueda circular y cocinarlos adecuadamente.
3. Agitar los alimentos. Agite los alimentos durante la cocción, especialmente las papas fritas y otros alimentos más pequeños.

4. Rocíe los alimentos con aceite para evitar que se peguen a la cesta de la freidora de aire.
5. Cocine en tandas si es necesario.
6. Puede precalentar el dispositivo para que se caliente correctamente.
7. Forrar la cesta de la freidora de aire con papel pergamino minimizará la limpieza.
8. Use un molde para hornear alimentos empanizados.

Seguridad de la freidora de aire:

- Lea el manual de instrucciones para obtener consejos básicos de seguridad.
- Coloque siempre la freidora de aire sobre una superficie estable, uniforme y a prueba de calor.
- Mantenga las manos y la cara alejadas de las rejillas de ventilación.
- Nunca toque la cesta o la sartén a la que está sujeta porque estarán muy calientes.
- Nunca presione el botón que sostiene la cesta y el plato juntos cuando los retire.

Limpieza:

- El manual de instrucciones le indicará cómo limpiar y cuidar su máquina.
- Deje que la máquina se enfríe antes de intentar limpiarla.
- Retire la cesta y la sartén y lave con jabón, agua y un cepillo de plástico para lavar.
- Compruebe siempre si hay trozos de comida en el interior del aparato y retírelos.
- Limpie el aparato (apagado, desenchufado y enfriado) por dentro y por fuera con una toalla húmeda o una toalla de papel.
- Si el aceite ha goteado en el fondo del recipiente, empápelo con toallas de papel y luego límpielo.

Uso, cuidado y mantenimiento adecuados:

1. Lea el manual. Es importante que lea el manual.
2. Compruebe la fuente de alimentación/toma de corriente correcta. De lo contrario, pueden surgir problemas.
3. Compruebe el montaje del aparato.
4. Siga los procedimientos correctos. Lea atentamente las instrucciones de cocción y sígalas.

5. No utilice productos químicos fuertes y limpiadores en la freidora de aire.
6. No lave la freidora de aire inmediatamente después de usarla. Espere 30 minutos.

¿Qué pasa si se tarda más tiempo en cocinar?

Las razones son:

- Sus pedazos de carne o vegetales son más grandes de lo que la receta requiere.
- Está usando un molde para tortas más profundo de lo especificado.
- Estás doblando la receta.

Si la comida está parcialmente cocida:

- Es necesario cocinar los alimentos en una sola capa y en lotes.

Capítulo 2: Recetas para el desayuno

Frittata de Camarones y Arroz para el Desayuno

Tiempo de preparación: 15 minutos	Tiempo de cocción: 15 minutos	Porciones: 4

Ingredientes

- Huevos - 4
- Una pizca de sal
- Albahaca seca - ½ tsp.
- Arroz cocido - ½ taza
- Camarón cocido picado - ½ taza
- Espinaca - ½ cup
- Queso Monterey Jack rallado - ½ taza

Instruccuiones

1. En un bol, bata los huevos con sal y albahaca hasta que estén espumosos. Rocíe una sartén de 6x6x2 pulgadas con aceite antiadherente en aerosol.
2. Mezclar las espinacas, los camarones y el arroz en la sartén preparada anteriormente. Vierta los huevos y espolvorear con queso.
3. Hornee a 320°F hasta que la frittata esté hinchada y dorada, de 14 a 18 minutos.

Datos nutricionales por porción

- Calorías: 226
- Grasa: 9g
- Carbohidratos: 19g
- Proteína: 16 g

Omelette con Pan

Tiempo de preparación: 12 minutos	Tiempo de cocción: 11 minutos	Porciones: 4

Ingredientes

- Rollos crujientes - 4 (3x4 pulgadas)
- Queso Gouda - 4 rebanadas finas
- Huevos - 5
- Crema Pesada - 2 cdas.
- Tomillo seco - ½ tsp.
- Tocino precocido - 3 tiras, picado
- Sal y pimienta molida al gusto

Instrucciones

1. Corta las tapas de los rollos y quita las tripas con los dedos para hacer una concha con cerca de ½-pulgada

del pan restante. Forre los panecillos con una rebanada de queso, presionándolos suavemente para que el queso se adapte al interior del panecillo.

2. En un recipiente, bata los huevos con la crema espesa hasta que se mezclen. Añada el tocino, el tomillo, la sal y la pimienta.
3. Ponga la mezcla de huevo en los rollos sobre el queso.
4. Hornee a 330°F hasta que los huevos estén hinchados y comiencen a dorarse por encima, de 8 a 12 minutos.

Datos nutricionales por porción

- Calorías: 499
- Grasa: 24g
- Carbohidratos: 46g
- Proteína: 25 g

Muffins de Bayas Mixtas

Tiempo de preparación: 15 minutos	Tiempo de cocción: 15 minutos	Porciones: 8

Ingredientes

- Harina - 1 1/3 tazas, más 1 cda.

- Polvo de hornear - 2 cdtas.
- Azúcar blanco - ¼ cup
- Azúcar morena - 2 cdas.
- Huevos - 2
- Leche entera - 2/3 taza
- Aceite de cártamo - 1/3 taza
- Mezcla de bayas frescas - 1 taza

Instrucciones

1. Mezcle 1 1/3 de taza de harina, azúcar morena, azúcar blanca y polvo de hornear en un tazón y mezcle bien.
2. Mezcle la leche, los huevos y el aceite en otro recipiente y bata hasta que se mezclen. Revuelva la mezcla de huevo en los ingredientes secos hasta que se mezclen.
3. En otro recipiente, mezcle las bayas mezcladas con la cucharada de harina restante hasta que estén cubiertas. Revuelva suavemente en la masa.
4. Doble 16 tazas de papel aluminio para hacer 8 tazas. Poner 4 tazas en la freidora de aire y rellenar ¾ con la masa.
5. Hornee a 320°F hasta que esté cocido, de 12 a 17 minutos.
6. Repita con el resto de las tazas de panecillos y la masa.
7. Deje enfriar y sirva.

Datos nutricionales por porción

- Calorías: 230
- Grasa: 11g
- Carbohidratos: 30g
- Proteína: 4 g

Panqueque holandés

Tiempo de preparación: 12 minutos	Tiempo de cocción: 15 minutos	Porciones: 4

Ingredientes

- Mantequilla sin sal - 2 cdas.
- Huevos - 3
- Harina - ½ taza
- Leche - ½ cup
- Vainilla - ½ tsp.
- Fresas frescas cortadas en rodajas - 1 ½ tazas
- Azúcar en polvo - 2 cdas.

Instrucciones

1. Precaliente la freidora de aire con una sartén de 6x6x2 pulgadas en la cesta. Añadir la mantequilla y calentar hasta que se derrita.
2. Mientras tanto, bata los huevos, la leche, la harina y la vainilla en un bol hasta que estén espumosos.
3. Retire con cuidado la cesta con la sartén de la freidora e inclínela para que la mantequilla cubra el fondo de la sartén. Vierta la masa y vuelva a ponerla en la freidora.
4. Hornee a 330°F hasta que la tortita esté hinchada y dorada, de 12 a 16 minutos.
5. Retirar y cubrir con fresas y azúcar en polvo.
6. Servir.

Datos nutricionales por porción

- Calorías: 196
- Grasa: 9g
- Carbohidratos: 22g
- Proteína: 7 g

Rosquillas rellenas de chocolate

Tiempo de preparación: 10 minutos	Tiempo de cocción: 12 minutos	Porciones: 24

Ingredientes

- Galletas refrigeradas - 1 lata (8 unidades)
- Chispas de chocolate semidulce - 24 a 48
- Mantequilla derretida sin sal - 3 cdas.
- Azúcar en polvo - ¼ cup

Instrucciones

1. Separar y cortar cada galleta en tercios.
2. Aplane ligeramente cada trozo de galleta y coloque de 1 a 2 trozos de chocolate en el centro.
3. Envolver la masa alrededor del chocolate y sellar bien los bordes.
4. Cepille cada agujero de la rosquilla con un poco de mantequilla.
5. Freír en tandas a 340 F durante 8 a 12 minutos.
6. Retirar y espolvorear con azúcar en polvo.
7. Servir.

Datos nutricionales por porción

- Calorías: 393
- Grasa: 17g

- Carbohidratos: 55g
- Proteína: 5 g

Tortilla de espinacas y queso

Tiempo de preparación: 5 minutos	Tiempo de cocción: 8 minutos	Porciones: 2

Ingredientes

- Huevos - 3
- Queso rallado - ½ cup
- 2 cucharadas de espinacas frescas picadas
- Sal y pimienta al gusto

Instrucciones

1. Bata los huevos con sal y pimienta y colóquelos en una fuente plana apta para el horno.
2. Añadir el queso y las espinacas. No revuelva.
3. Cocine a 390°F por 8 minutos en la freidora de aire.
4. Comprobar la consistencia de la tortilla. Cocine por otros 2 minutos si desea una tortilla más dorada.
5. Servir y disfrutar.

Datos nutricionales por porción

- Calorías: 209
- Grasa: 15.9g
- Carbohidratos: 1g
- Proteína: 15,4 g

Quesadillas

Tiempo de preparación: 10 minutos	Tiempo de cocción: 15 minutos	Porciones: 4

Ingredientes

- Huevos - 4
- Leche descremada - 2 cdas.
- Sal y pimienta al gusto
- Tortillas de harina - 4
- Salsa - 4 cdas.
- Queso Cheddar - 2 onzas, rallado
- Aguacate pequeño - ½, pelado y cortado en rodajas finas

Instrucciones

1. Precaliente la freidora de aire a 270°F.

2. Batir la leche, los huevos, la sal y la pimienta.
3. Rocíe un sartén para hornear de 6x6 pulgadas con rocío de cocina y agregue la mezcla de huevo.
4. Cocine de 8 a 9 minutos, revolviendo cada 1 a 2 minutos, o hasta que los huevos estén revueltos a su gusto. Retirar y reservar.
5. Rocíe un lado de cada tortilla con aceite. Dele la vuelta.
6. Distribuya queso, salsa, huevos y aguacate entre las tortillas, cubriendo sólo la mitad de cada tortilla.
7. Doble cada tortilla por la mitad y presione ligeramente hacia abajo.
8. Coloque 2 tortillas en una cesta de la freidora de aire y cocine a 390°F hasta que el queso se derrita y el exterior se sienta ligeramente crujiente, aproximadamente 3 minutos. Repita con las otras dos tortillas.
9. Corte cada tortilla cocida por la mitad y sírvala.

Datos nutricionales por porción

- Calorías: 231
- Grasa: 14.7g
- Carbohidratos: 14.9g
- Proteína: 11,5 g

Sabrosos Huevos al Horno

Tiempo de preparación: 10 minutos	Tiempo de cocción: 20 minutos	Porciones: 4

Ingredientes

- Huevos - 4
- Espinaca bebé - 1 libra, desgarrada
- Jamón - 7 onzas, picado
- Leche - 4 cdas.
- Aceite de oliva - 1 cda.
- Spray de cocina
- Sal y pimienta negra al gusto

Método

1. Caliente el aceite en una sartén a fuego medio. Agregue las espinacas pequeñas y sofría por 2 minutos y retire del fuego.
2. Engrasar 4 moldes con rocío de cocina y distribuir el jamón y las espinacas tiernas en cada uno.
3. Romper un huevo en cada ramekin y añadir la leche. Sazone con sal y pimienta.
4. Coloque los moldes en la freidora de aire precalentada a 350°F y hornee por 20 minutos.
5. Servir.

Datos nutricionales por porción

- Calorías: 321
- Grasa: 6g
- Carbohidratos: 15g
- Proteína: 12 g

Delicioso Soufflé para el desayuno

Tiempo de preparación: 10 minutos	Tiempo de cocción: 8 minutos	Porciones: 4

Ingredientes

- Huevos - 4, batidos
- Crema Pesada - 4 cdas.
- Pimiento rojo - 1 pizca, machacado
- 2 cdas. de perejil picado
- Cebollino - 2 cucharadas, picado
- Sal y pimienta negra al gusto

Instrucciones

1. En un recipiente, mezcle los huevos con cebollino, perejil, chile rojo, crema espesa, sal y pimienta. Mezclar bien y dividir en 4 platos de soufflé.

2. Coloque los platos en la freidora de aire y cocine a 350F por 8 minutos.
3. Servir caliente.

Datos nutricionales por porción

- Calorías: 300
- Grasa: 7g
- Carbohidratos: 15g
- Proteína: 6 g

Delicosa tostada de canela

Tiempo de preparación: 10 minutos	Tiempo de cocción: 5 minutos	Porciones: 6

Ingredientes

- Mantequilla - 1 barra, blanda
- Pan - 12 rebanadas
- Azúcar - ½ taza
- Extracto de vainilla - 1 ½ cdta.
- Canela en polvo - 1 ½ cdta.

Método

1. En un recipiente, mezcle la mantequilla blanda con la canela, la vainilla y el azúcar, y bata bien.
2. Unte esto en rebanadas de pan, colóquelas en la freidora de aire y cocine a 400F por 5 minutos.
3. Servir.

Datos nutricionales por porción

- Calorías: 221
- Grasa: 4g
- Carbohidratos: 12g
- Proteína: 8 g

Burrito de pavo

Tiempo de preparación: 10 minutos	Tiempo de cocción: 10 minutos	Porciones: 2

Ingredientes

- Pechuga de pavo - 4 rebanadas, cocida
- Pimiento rojo - 1/2, rebanado
- Huevos - 2

- Aguacate pequeño - 1, pelado, deshuesado y cortado en rodajas
- Salsa - 2 cdas.
- Sal y pimienta negra al gusto
- Queso mozzarella - 1/8 taza, rallado
- Tortillas para servir

Instrucciones

1. En un bol, bata los huevos con sal y pimienta. Viértalas en una sartén y colóquelas en la cesta de las freidoras de aire.
2. Cocine a 400F por 5 minutos. Retire de la freidora y transfiera los huevos a un plato.
3. Coloque las tortillas en una superficie de trabajo. Distribuya los huevos, la carne de pavo, el pimiento, el queso, la salsa y el aguacate sobre ellos.
4. Enrolle los burritos. Forre la cesta de la freidora de aire con papel de aluminio y coloque los burritos sobre ella.
5. Caliente los burritos a 300°F durante 3 minutos.
6. Servir.

Datos nutricionales por porción

- Calorías: 349
- Grasa: 23g

- Carbohidratos: 20 g
- Proteína: 21 g

Pudín de pan para el desayuno

Tiempo de preparación: 10 minutos	Tiempo de cocción: 22 minutos	Porciones: 4

Ingredientes

- Pan blanco - ½ libra, en cubos
- Leche - ¾ cup
- Agua - ¾ cup
- Almidón de maíz - 2 cdtas.
- Manzana - ½ taza, pelada, sin corazón y picada
- Miel - 5 cdas.
- Extracto de vainilla - 1 cdta.
- 2 cucharaditas de canela en polvo
- Harina - 1 1/3 taza
- Azúcar morena - 3/5 taza
- Mantequilla blanda - 3 onzas

Instrucciones

1. En un tazón, mezcle el pan, la manzana, la maicena, la vainilla, la canela, la miel, la leche y el agua. Batir bien.

2. En otro recipiente, mezcle la mantequilla, el azúcar y la harina, y mezcle bien.
3. Presionar la mitad de la mezcla en el fondo de la freidora de aire, agregar el pan y la mezcla de manzanas, luego agregar el resto y cocinar a 350F por 22 minutos.
4. Divida el pudín de pan en platos y sirva.

Datos nutricionales por porción

- Calorías: 261
- Grasa: 7g
- Carbohidratos: 8g
- Proteína: 5 g

Tacos de pescado para el desayuno

Tiempo de preparación: 10 minutos	Tiempo de cocción: 13 minutos	Porciones: 4

Ingredientes

- Tortillas grandes - 4
- Pimiento rojo - 1, picado
- Cebolla amarilla - 1, picada

- Maíz - 1 taza
- Filetes de pescado blanco - 4, sin piel y sin espinas
- Salsa - ½ taza
- Lechuga romana mixta, espinacas y achicoria - 1 puñado
- 4 cdas. de parmesano rallado

Instrucciones

1. Ponga los filetes de pescado en la freidora de aire y cocine a 350F por 6 minutos.
2. Mientras tanto, caliente una sartén a fuego medio-alto; agregue el maíz, la cebolla y el pimiento morrón. Saltear durante 2 minutos.
3. Coloque las tortillas en una superficie. Distribuya los filetes de pescado y extienda la salsa sobre ellos; agregue verduras mixtas, y finalmente espolvoree parmesano sobre cada uno de ellos.
4. Enrolle los tacos, colóquelos en la freidora de aire precalentada y cocínelos a 350°F por 6 minutos más.
5. Coloque los tacos de pescado en los platos y sirva.

Datos nutricionales por porción

- Calorías: 200
- Grasa: 3g

- Carbohidratos: 9g
- Proteína: 5 g

Frittata de Camarones

Tiempo de preparación: 10 minutos	Tiempo de cocción: 15 minutos	Porciones: 4

Ingredientes

- Huevos - 4
- Albahaca - ½ cdta., seca
- Spray de cocina
- Sal y pimienta negra al gusto
- Arroz - ½ taza, cocido
- Camarones - ½ taza, cocidos, pelados, desvenados y picados
- Espinaca - ½ taza, picada
- Queso Monterey Jack - ½ taza, rallado

Instrucciones

1. En un recipiente, mezcle los huevos con albahaca, pimienta y sal. Batir bien.

2. Engrase la sartén de su freidora de aire con rocío de cocina y agregue el arroz, los camarones y las espinacas.
3. Agregue la mezcla de huevo, espolvoree el queso por todas partes y cocine en la freidora de aire a 350F por 10 minutos.
4. Servir.

Datos nutricionales por porción

- Calorías: 162
- Grasa: 6g
- Carbohidratos: 8g
- Proteína: 4 g

Sándwiches de atún

Tiempo de preparación: 10 minutos	Tiempo de cocción: 5 minutos	Porciones: 4

Ingredientes

- Atún en lata - 16 onzas, escurrido
- Mayonesa - ¼ cup
- Mostaza - 2 cdas.

- Jugo de limón - 1 cda.
- Cebollas verdes - 2, picadas
- Panecillos ingleses - 3, cortados a la mitad
- Mantequilla - 3 cdas.
- Queso Provolone - 6

Instrucciones

1. En un recipiente, mezcle la mayonesa, el atún, el jugo de limón, la mostaza y la cebolla verde.
2. Engrase las mitades de los panecillos con mantequilla. Colóquelos en la freidora de aire precalentada y hornee a 350°F durante 4 minutos.
3. Esparza la mezcla de atún en las mitades de los panecillos, cubra cada uno con queso provolone.
4. Vuelva a colocar los sándwiches en la freidora de aire y cocínelos durante 4 minutos.
5. Servir.

Datos nutricionales por porción

- Calorías: 182
- Grasa: 4g
- Carbohidratos: 8g
- Proteína: 6 g

Capítulo 3: Recetas para el almuerzo

Rollos de Huevo Vegetal

Tiempo de preparación: 15 minutos	Tiempo de cocción: 10 minutos	Porciones: 8

Ingredientes

- Champiñones picados - ½ cup
- Zanahorias ralladas - ½ cup
- Calabacín picado - ½ cup
- Cebollas verdes - 2, picadas
- Salsa de soja baja en sodio - 2 cdas.
- Rollos de huevo - 8
- Almidón de maíz - 1 cda.
- Huevo - 1, batido

Instrucciones

1. En un recipiente, combine la salsa de soja, las cebollas verdes, el calabacín, las zanahorias y los hongos, y mezcle.
2. Cubra cada envoltorio de rollos de huevos con 3 cucharadas de la mezcla de verduras.

3. En un recipiente pequeño, combine el huevo y la maicena y mezcle bien. Unte un poco de esta mezcla en los bordes de las envolturas de los rollitos de huevo.
4. Enrolle las envolturas, encerrando el relleno vegetal. Cepille algunas de las mezclas de huevos en el exterior de los rollitos para sellarlos.
5. Freír al aire a 390°F durante 7 a 10 minutos, o hasta que los rollitos estén dorados y crujientes.

Datos nutricionales por porción

- Calorías: 112
- Grasa: 1g
- Carbohidratos: 21g
- Proteína: 4 g

Tostadas Vegetales

Tiempo de preparación: 10 minutos	Tiempo de cocción: 15 minutos	Porciones: 4

Ingredientes

- Pimiento rojo - 1, cortado en tiras finas
- Setas cremini - 1 taza, rebanadas

- Calabaza amarilla - 1, picada
- Cebollas verdes - 2, rebanadas
- Aceite de oliva - 1 cda.
- Pan - 4 rebanadas
- Mantequilla - 2 cucharadas suaves
- Queso de cabra - ½ taza, desmenuzada

Instrucciones

1. En un tazón, mezcle el pimiento rojo con el aceite, las cebollas verdes, la calabaza y los hongos. Lanza.
2. Páselo a la freidora de aire y cocine a 350F por 10 minutos. Agite la cesta de la freidora de aire una vez y pásela a un tazón.
3. Untar las rebanadas de pan con mantequilla y colocarlas en la freidora al aire libre.
4. Cocinarlos a 350F por 5 minutos.
5. Distribuya la mezcla de verduras en cada rebanada de pan.
6. Cubra con queso desmenuzado y sirva.

Datos nutricionales por porción

- Calorías: 152
- Grasa: 3g
- Carbohidratos: 7g

- Proteína: 2 g

Champiñones Rellenos

Tiempo de preparación: 10 minutos	Tiempo de cocción: 20 minutos	Porciones: 4

Ingredientes

- Cabezas grandes de hongo Portobello - 4
- Aceite de oliva - 1 cda.
- Queso ricotta - ¼ taza
- 5 cdas. de parmesano rallado
- Espinaca - 1 taza, rota
- Pan rallado - 1/3 taza
- Romero - ¼ cdta. picada

Instrucciones

1. Frote las cabezas de los hongos con aceite. Colóquelos en la cesta de la freidora de aire y cocine a 350F por 2 minutos.
2. Mientras tanto, en un bol, mezcle la mitad del parmesano con el pan rallado, el romero, las espinacas y la ricotta. Revuelva bien.

3. Rellene los hongos con esta mezcla y espolvoree el resto del parmesano por encima.
4. Cocine en la cesta de la freidora de aire a 350°F durante 10 minutos.
5. Servir.

Datos nutricionales por porción

- Calorías: 152
- Grasa: 4g
- Carbohidratos: 9g
- Proteína: 5 g

Pizzas para el almuerzo

Tiempo de preparación: 10 minutos	Tiempo de cocción: 7 minutos	Porciones: 4

Ingredientes

- Pan Pita - 4
- Aceite de oliva - 1 cda.
- Salsa para pizza - ¾ taza
- Hongos en tarro - 4 onzas, en rodajas
- Albahaca - ½ cdta. seca

- Cebollas verdes - 2, picadas
- Mozzarella - 2 tazas, rallada
- Tomates Uva - 1 taza, rebanados

Instrucciones

1. Untar cada pan pita con salsa para pizza, espolvorear cebollas verdes y albahaca, distribuir los hongos y cubrir con queso.
2. Coloque los panes de pita en la freidora de aire y cocínelos a 400°F durante 7 minutos.
3. Cubra cada pizza con salsa de tomate, divida en platos y sirva.

Datos nutricionales por porción

- Calorías: 200
- Grasa: 4g
- Carbohidratos: 7g
- Proteína: 3 g

Tortillas de atún y calabacín

Tiempo de preparación: 10 minutos	Tiempo de cocción: 10 minutos	Porciones: 4

Ingredientes

- Tortillas de maíz - 4
- Mantequilla - 4 cucharadas suaves
- Atún en lata - 6 onzas, escurrido
- Calabacín - 1 taza, rallado
- Mayonesa - 1/3 taza
- Mostaza - 2 cdas.
- Queso Cheddar - 1 taza, rallado

Instrucciones

1. Unte mantequilla en las tortillas.
2. Colóquelos en la cesta de la freidora de aire y cocínelos a 400°F durante 3 minutos.
3. Mientras tanto, en un recipiente, mezcle el atún con la mostaza, la mayonesa y el calabacín, y revuelva.
4. Distribuya esta mezcla sobre cada tortilla, cubra con queso y enrolle las tortillas.
5. Colóquelos en la cesta de la freidora de aire y cocínelos a 400°F durante 4 minutos más.
6. Servir.

Datos nutricionales por porción

- Calorías: 162
- Grasa: 4g
- Carbohidratos: 9g
- Proteína: 4 g

Buñuelos de calabaza

Tiempo de preparación: 10 minutos	Tiempo de cocción: 7 minutos	Porciones: 4

Ingredientes

- Queso crema - 3 onzas
- Huevo - 1, batido
- Orégano - ½ cdta. seca
- Sal y pimienta al gusto
- Calabaza amarilla de verano - 1, rallada
- Zanahoria - 1/3 taza
- Pan rallado - 2/3 taza
- Aceite de oliva - 2 cdas.

Instrucciones

1. En un recipiente, mezcle el queso crema con la calabaza, la zanahoria, el pan rallado, el huevo, el orégano, la sal y la pimienta.
2. Formar hamburguesas medianas de esta mezcla y untarlas con aceite.
3. Coloque las hamburguesas en la freidora de aire y cocine a 400°F durante 7 minutos.
4. Servir.

Datos nutricionales por porción

- Calorías: 200
- Grasa: 4g
- Carbohidratos: 8g
- Proteína: 6 g

Croquetas de camarones para el almuerzo

Tiempo de preparación: 10 minutos	Tiempo de cocción: 8 minutos	Porciones: 4

Ingredientes

- Camarones - 2/3 de libra, cocidos, pelados, desvenados y picados

- Pan rallado - 1 taza ½
- Huevo - 1, batido
- Jugo de limón - 2 cdas.
- Cebollas verdes - 3, picadas
- Albahaca - ½ cdta., seca
- Sal y pimienta negra al gusto
- Aceite de oliva - 2 cdas.

Instrucciones

1. En un tazón, mezcle la mitad del pan rallado con el jugo de limón y el huevo, y revuelva bien.
2. Agregue los camarones, sal, pimienta, albahaca y cebollas verdes. Revuelva bien.
3. En otro recipiente, mezcle el resto del pan rallado con el aceite y mezcle bien.
4. Formar bolitas redondas de la mezcla de camarones y drene en pan rallado.
5. Colóquelos en la freidora de aire precalentada y cocine por 8 minutos, a 400F.
6. Servir.

Datos nutricionales por porción

- Calorías: 142
- Grasa: 4g

- Carbohidratos: 9g
- Proteína: 4 g

Panqueque de camarones

Tiempo de preparación: 10 minutos	Tiempo de cocción: 10 minutos	Porciones: 2

Ingredientes

- Mantequilla - 1 cda.
- Huevos - 3, batidos
- Harina - ½ taza
- Leche - ½ cup
- Salsa - 1 taza
- Camarones pequeños - 1 taza, pelados y desvenados

Instrucciones

1. Precaliente la freidora de aire a 400F.
2. Agregue la sartén, añada 1 cucharada de mantequilla y derrita.
3. Mezclar los huevos con la leche y la harina en un bol. Bata bien, vierta en la sartén de la freidora de aire y extienda.
4. Cocine a 350°F por 12 minutos y páselo a un plato.

5. Mezcle los camarones y la salsa en un tazón.
6. Revuelva y sirva el panqueque con esto a un lado.

Datos nutricionales por porción

- Calorías: 200
- Grasa: 6g
- Carbohidratos: 12g
- Proteína: 4 g

Sándwiches de pollo

Tiempo de preparación: 10 minutos	Tiempo de cocción: 10 minutos	Porciones: 4

Ingredientes

- Pechugas de pollo - 2, sin piel, deshuesadas y cortadas en cubos
- Cebolla roja - 1, picada
- Pimiento rojo - 1, rebanado
- Condimento italiano - ½ taza
- Tomillo - ½ cdta., seco
- Mantequilla de lechuga - 2 tazas
- Panes pita - 4

- Tomates cherry - 1 taza, cortados por la mitad
- Aceite de oliva - 1 cda.

Instrucciones

1. En la freidora de aire, mezcle el pollo con el aceite, los condimentos italianos, el pimiento, la cebolla, luego revuelva y cocine a 380F por 10 minutos.
2. Transfiera la mezcla de pollo a un tazón, agregue los tomates cherry, la lechuga butter y el tomillo. Revuelva bien.
3. Rellene los bolsillos de pita con esta mezcla y sirva.

Datos nutricionales por porción

- Calorías: 126
- Grasa: 4g
- Carbohidratos: 14g
- Proteína: 4 g

Sándwiches calientes de tocino

Tiempo de preparación: 10 minutos	Tiempo de cocción: 7 minutos	Porciones: 4

Ingredientes

- Salsa BBQ - 1/3 taza
- Miel - 2 cdas.
- Tocino en rodajas - 8, cocido y cortado en tercios
- Pimiento rojo - 1, rebanado
- Pimiento morrón amarillo - 1, rebanado
- Panes de pita - 3, divididos por la mitad
- Hojas de lechuga con mantequilla - 1 taza ¼, desgarradas
- Tomates - 2, cortados en rodajas

Instrucciones

1. Mezcle la salsa BBQ con la miel en un tazón y bata bien.
2. Agregue el tocino y todos los pimientos con esta mezcla.
3. Ponerlos en la freidora de aire y cocinarlos a 350F por 4 minutos.
4. Agite la freidora y cocine por 2 minutos más.
5. Rellene los panes de pita con la mezcla de tocino, también con lechuga y tomates.
6. Unte el resto de la salsa BBQ en los panes de pita rellenos y sirva para el almuerzo.

Datos nutricionales por porción

- Calorías: 186

- Grasa: 6g
- Carbohidratos: 14g
- Proteína: 4 g

Pollo con suero de mantequilla

Tiempo de preparación: 10 minutos	Tiempo de cocción: 18 minutos	Porciones: 4

Ingredientes

- Muslos de pollo - 1 ½ libras
- Suero de mantequilla - 2 tazas
- Sal y pimienta negra al gusto
- Pimienta de Cayena - 1 pizca
- Harina blanca - 2 tazas
- Polvo de hornear - 1 cda.
- Pimentón dulce - 1 cda.
- Ajo en polvo - 1 cda.

Instrucciones

1. En un recipiente, mezcle el suero de leche, los muslos de pollo, la sal, la pimienta y la cayena. Cubrir bien y marinar durante 6 horas.
2. En otro recipiente, mezcle la harina con el ajo en polvo, el polvo de hornear y el pimentón.
3. Escurra los muslos de pollo y escúrralos en la mezcla de harina. Colóquelos en la freidora al aire libre y cocínelos a 360°F por 8 minutos.
4. Voltear los trozos de pollo. Cocine por 10 minutos más. Colóquelo en una fuente y sírvalo.

Datos nutricionales por porción

- Calorías: 200
- Grasa: 3g
- Carbohidratos: 14g
- Proteína: 4 g

Macarrones con queso

Tiempo de preparación: 10 minutos	Hora de cocinar: 30 minutos	Porciones: 3

Ingredientes

- Macarrones - 1 taza ½

- Spray de cocina
- Crema espesa - ½ taza
- Caldo de pollo - 1 taza
- Queso Cheddar - ¾ taza, rallado
- Queso mozzarella - ½ taza, rallado
- Parmesano - ¼ taza, rallada
- Sal y pimienta negra al gusto

Instrucciones

1. Rocíe una sartén con rocío de cocina.
2. Agregue los macarrones, sal, pimienta, parmesano, mozzarella, queso cheddar, caldo y crema espesa. Mezcle bien.
3. Cocine en la freidora de aire por 30 minutos.
4. Servir.

Datos nutricionales por porción

- Calorías: 341
- Grasa: 7g
- Carbohidratos: 18g
- Proteína: 4 g

Pescado y papas fritas

Tiempo de preparación: 10 minutos	Tiempo de cocción: 12 minutos	Porciones: 2

Ingredientes

- Filetes de bacalao medianos - 2, sin piel y sin espinas
- Sal y pimienta negra al gusto
- Suero de mantequilla - ¼ taza
- Papas fritas - 3 tazas, cocidas

Instrucciones

1. En un recipiente, mezcle el pescado con el suero de leche, la sal y la pimienta. Revuelva y deje reposar por 5 minutos.
2. Triture las papas fritas en un procesador de alimentos y extiéndalas en un plato.
3. Agregue el pescado y presione bien por todos los lados.
4. Transfiera el pescado a la cesta de la freidora y cocine a 400°F durante 12 minutos.
5. Servir.

Datos nutricionales por porción

- Calorías: 271
- Grasa: 7g
- Carbohidratos: 14g
- Proteína: 4 g

Deliciosos cubitos de carne de res

Tiempo de preparación: 10 minutos	Tiempo de cocción: 12 minutos	Porciones: 4

Ingredientes

- Solomillo - 1 libra, cortado en cubos
- Salsa para pasta en tarro - 16 onzas
- Pan rallado - 1 ½ taza
- Aceite de oliva - 2 cdas.
- Arroz blanco, cocido

Instrucciones

1. En un recipiente, mezcle los cubos de carne de res con la salsa para pasta y mezcle bien.

2. En otro recipiente, mezcle el pan rallado con el aceite, y revuelva bien.
3. Sumerja los cubos de carne en esta mezcla, colóquelos en la freidora de aire y cocine a 360°F por 12 minutos.
4. Servir con arroz blanco.

Datos nutricionales por porción

- Calorías: 271
- Grasa: 6g
- Carbohidratos: 18g
- Proteína: 12 g

Pasta con vegetales

Tiempo de preparación: 10 minutos	Tiempo de cocción: 12 minutos	Porciones: 6

Ingredientes

- Calabacín - 1, cortado por la mitad y picado en trozos grandes
- Pimiento morrón naranja - 1, picado en trozos grandes
- Pimiento morrón verde - 1, picado en trozos grandes

- Cebolla roja - 1, picada en trozos grandes
- Hongos marrones - 4 onzas, cortados por la mitad
- Sal y pimienta negra al gusto
- Condimento italiano - 1 cdta.
- Pasta Penne rigate - 1 libra, cocido
- Tomates cherry - 1 taza, cortados por la mitad
- Aceitunas Kalamata - ½ taza, deshuesadas y cortadas por la mitad
- Aceite de oliva - ¼ taza
- 3 cucharadas de vinagre balsámico
- 2 cdas. de albahaca picada

Instrucciones

1. En un tazón, combine el aceite, los condimentos, la pimienta, la sal, la cebolla roja, el pimiento morrón verde, el pimiento morrón naranja, los hongos y el calabacín. Mezcle bien.
2. Cocine en la freidora de aire a 380F por 12 minutos.
3. En un recipiente, mezcle la pasta penne con las verduras cocidas, albahaca, vinagre, aceitunas y tomates cherry. Revuelva y sirva.

Datos nutricionales por porción

- Calorías: 200
- Grasa: 5g
- Carbohidratos: 10g
- Proteína: 6 g

Capítulo 4: Recetas de platos acompañantes (guarniciones)

Cuñas de patata

Tiempo de preparación: 10 minutos	Tiempo de cocción: 25 minutos	Porciones: 4

Ingredientes

- Patatas - 2, cortadas en rodajas
- Aceite de oliva - 1 cda.
- Sal y pimienta negra al gusto
- Crema agria - 3 cdas.
- 2 cucharadas de salsa de chile dulce

Instrucciones

1. En un recipiente, mezcle los trozos de papa con aceite, sal y pimienta. Revuelva bien.
2. Colocar en la cesta de la freidora de aire y cocinar a 360ºF durante 25 minutos. Voltear una vez.
3. Coloque los trozos de papa en los platos.
4. Rocíe con salsa de chile y crema agria por todas partes y sírvalas como guarnición.

Datos nutricionales por porción

- Calorías: 171
- Grasa: 8g
- Carbohidratos: 18g
- Proteína: 7 g

Plato de Champiñones

Tiempo de preparación: 10 minutos	Tiempo de cocción: 8 minutos	Porciones: 4

Ingredientes

- Setas de botón - 10, sin tallos
- Condimento italiano - 1 cda.
- Sal y pimienta negra al gusto
- Queso cheddar - 2 cucharadas, rallado
- Aceite de oliva - 1 cda.
- 2 cdas. de mozzarella rallada
- Eneldo - 1 cucharada, picado

Instrucciones

1. En un recipiente, combine los hongos con aceite, condimentos, eneldo, sal y pimienta. Mezcle bien.

2. Coloque los hongos en la cesta de la freidora de aire, espolvoree mozzarella y queso cheddar sobre cada uno y cocínelos a 360°F por 8 minutos.
3. Dividir entre los platos y servir.

Datos nutricionales por porción

- Calorías: 241
- Grasa: 7g
- Carbohidratos: 14g
- Proteína: 6 g

Papas fritas dej camote

Tiempo de preparación: 10 minutos	Tiempo de cocción: 20 minutos	Porciones: 2

Ingredientes

- Camote - 2, pelados y cortados en papas fritas medianas
- Sal y pimienta negra al gusto
- Aceite de oliva - 2 cdas.
- Curry en polvo - ½ tsp.
- Cilantro - ¼ tsp. ground

- Salsa de tomate - ¼ taza
- Mayonesa - 2 cdas.
- Comino - ½ cdta.
- Jengibre en polvo - 1 pizca
- Canela en polvo - 1 pizca

Instrucciones

1. En la cesta de la freidora de aire, mezcle las papas fritas con sal, pimienta, cilantro, curry en polvo y aceite. Revuelva bien.
2. Cocine a 370F por 20 minutos. Voltear una vez.
3. Mientras tanto, en un tazón, mezcle la salsa de tomate con canela, jengibre, comino y mayonesa. Batir bien.
4. Divida las papas fritas entre los platos. Rocíe la mezcla de salsa de tomate sobre ellas y sirva.

Datos nutricionales por porción

- Calorías: 200
- Grasa: 5g
- Carbohidratos: 9g
- Proteína: 7 g

Maíz con lima y queso

Tiempo de preparación: 10 minutos	Tiempo de cocción: 15 minutos	Porciones: 2

Ingredientes

- Maíz - 2, sin cáscaras
- Un chorrito de aceite de oliva
- Queso en rebanadas - ½ taza, rallada
- Pimentón dulce - 2 cdtas.
- Jugo de 2 limas

Instrucciones

1. Frote el maíz con aceite y pimentón.
2. Colocar en la cesta de la freidora de aire y cocinar a 400°F durante 15 minutos. Voltear una vez.
3. Divida el maíz entre los platos, espolvoree el queso por encima.
4. Rocíe con jugo de limón y sirva.

Datos nutricionales por porción

- Calorías: 200
- Grasa: 5g
- Carbohidratos: 6g

- Proteína: 6 g

Plato de col de Bruselas

Tiempo de preparación: 10 minutos	Tiempo de cocción: 15 minutos	Porciones: 4

Ingredientes

- Coles de bruselas - 1 libra, cortadas a la mitad
- Sal y pimienta negra al gusto
- Aceite de oliva - 6 cdtas.
- Tomillo - ½ cdta., picado
- Mayonesa - ½ taza
- 2 cdas. de ajo asado, machacado

Instrucciones

1. Combinar las coles de bruselas con aceite, sal y pimienta en la cesta de la freidora y mezclar bien.
2. Cocine a 390F por 15 minutos.
3. Mientras tanto, en un tazón, mezcle la mayonesa, el tomillo y el ajo, y bata bien.
4. Divida las coles de Bruselas en platos, rocíe con salsa de ajo y sirva.

Datos nutricionales por porción

- Calorías: 172
- Grasa: 6g
- Carbohidratos: 12g
- Proteína: 6 g

Patata cremosa

Tiempo de preparación: 10 minutos	Tiempo de cocción: 1 hora 20 minutos	Porciones:2

Ingredientes

- Patata grande - 1
- Tiras de tocino - 2, cocidas y picadas
- Aceite de oliva - 1 cdta.
- Queso cheddar - 1/3 taza, rallado
- Cebollas verdes - 1 cda. picada
- Sal y pimienta negra al gusto
- Mantequilla - 1 cda.
- Crema pesada - 2 cdas.

Instrucciones

1. Frote la papa con aceite, sazone con sal y pimienta.
2. Coloque en la freidora de aire precalentada y cocine a 400F por 30 minutos.
3. Voltee la papa y cocine por 30 minutos más.
4. Transfiera a una tabla de cortar. Deje enfriar y corte por la mitad a lo largo y recoja la pulpa en un tazón.
5. Agregue sal, pimienta, cebollas verdes, crema espesa, mantequilla, queso y tocino. Revuelva bien y rellene las cáscaras de papa con esta mezcla.
6. Vuelva a poner las papas en la freidora de aire y cocínelas a 400°F por 20 minutos.
7. Dividir entre los platos y servir como guarnición.

Datos nutricionales por porción

- Calorías: 172
- Grasa: 5g
- Carbohidratos: 9g
- Proteína: 4 g

Frijoles verdes

Tiempo de preparación: 10 minutos	Tiempo de cocción: 25 minutos	Porciones: 4

Ingredientes

- Frijoles verdes - 1 ½ libras, recortados y cocidos al vapor durante 2 minutos
- Sal y pimienta negra al gusto
- Chalotes - ½ libra, picada
- Almendras - ¼ taza, tostada
- Aceite de oliva - 2 cdas.

Instrucciones

1. Mezcle los frijoles verdes con aceite, almendras, chalotes, sal y pimienta en la cesta de la freidora de aire. Revuelva bien y cocine a 400F por 25 minutos.
2. Dividir entre los platos y servir.

Datos nutricionales por porción

- Calorías: 152
- Grasa: 3g
- Carbohidratos: 7g
- Proteína: 4 g

Champiñones a la parmesana

Tiempo de preparación: 10 minutos	Tiempo de cocción: 15 minutos	Porciones: 3

Ingredientes

- Cabezas de champiñones - 9
- Galletas saladas con crema - 3, desmenuzadas
- Clara de huevo - 1
- 2 cdas. de parmesano rallado
- Condimento italiano - 1 cdta.
- Sal y pimienta negra
- Mantequilla - 1 cucharada, derretida

Instrucciones

1. Mezcle las galletas con mantequilla, parmesano, sal, pimienta, condimentos y clara de huevo. Revuelva bien y rellene los hongos con esta mezcla.
2. Coloque los hongos en la cesta de la freidora de aire y cocínelos a 360°F durante 15 minutos.
3. Dividir entre los platos y servir.

Datos nutricionales por porción

- Calorías: 124
- Grasa: 4g
- Carbohidratos: 7g
- Proteína: 3 g

Plato de Berenjenas

Tiempo de preparación: 10 minutos	Tiempo de cocción: 10 minutos	Porciones: 4

Ingredientes

- Berenjenas - 8, recogidas en el centro y con pulpa reservada
- Sal y pimienta negra al gusto
- Una pizca de orégano, seco
- Pimiento verde - 1, picado
- Pasta de tomate - 1 cda.
- Cilantro - 1 manojo, picado
- Ajo en polvo - ½ tsp.
- Aceite de oliva - 1 cda.
- Cebolla amarilla - 1, picada
- Tomate - 1, picado

Instrucciones

1. Calentar el aceite en una sartén y añadir la cebolla. Saltear durante 1 minuto.
2. Agregue el tomate, el cilantro, el ajo en polvo, la pasta de tomate, el pimiento verde, el orégano, la pulpa de berenjena, la sal y la pimienta.
3. Saltear durante 2 minutos más. Retire del fuego y deje enfriar.
4. Rellene las berenjenas con esta mezcla; colóquelas en la cesta de la freidora de aire.
5. Cocine a 360°F por 8 minutos.
6. Divida las berenjenas en platos y sirva.

Datos nutricionales por porción

- Calorías: 200
- Grasa: 3g
- Carbohidratos: 12g
- Proteína: 4 g

Papas fritas de berenjenas

Tiempo de preparación: 10 minutos	Tiempo de cocción: 5 minutos	Porciones: 4

Ingredientes

- Spray de cocina
- Berenjena - 1, pelada y cortada en papas fritas medianas
- Leche - 2 cdas.
- Huevo - 1, batido
- Pan rallado Panko - 2 tazas
- Queso italiano - ½ taza, rallado
- Sal y pimienta negra al gusto

Instrucciones

1. En un recipiente, mezcle la leche con el huevo, la sal y la pimienta. Batir bien.
2. En otro tazón, mezcle el queso y el panko, luego revuelva.
3. Sumerja las berenjenas fritas en la mezcla de huevo, luego cubra con la mezcla de panko.
4. Engrase la cesta de la freidora de aire con rocío de cocina y coloque las papas fritas de berenjena en ella.
5. Cocine a 400F por 5 minutos.
6. Servir.

Datos nutricionales por porción

- Calorías: 162
- Grasa: 5g

- Carbohidratos: 7g
- Proteína: 6 g

Tortas de coliflor

Tiempo de preparación: 10 minutos	Tiempo de cocción: 10 minutos	Porciones: 6

Ingredientes

- Arroz con coliflor - 3 tazas ½
- Huevos - 2
- Harina blanca - ¼ taza
- Parmesano - ½ taza, rallada
- Sal y pimienta negra al gusto
- Spray de cocina

Instrucciones

1. En un recipiente, mezcle el arroz de coliflor con sal y pimienta. Revuelva y exprima el exceso de agua.
2. Transfiera la coliflor a otro recipiente. Agregue los huevos, el parmesano, la harina, la sal y la pimienta. Mezclar bien y dar forma a los pasteles.

3. Engrase la cesta de la freidora de aire con rocío de cocina.
4. Caliéntelo a 400°F y agregue las tortas de coliflor, luego cocínelas por 10 minutos. Voltear una vez.
5. Servir.

Datos nutricionales por porción

- Calorías: 125
- Grasa: 2g
- Carbohidratos: 8g
- Proteína: 3 g

Galletas con queso cheddar

Tiempo de preparación: 10 minutos	Tiempo de cocción: 20 minutos	Porciones: 8

Ingredientes

- Harina autárquica - 2 1/3 tazas
- Mantequilla - ½ taza más 1 cucharada, derretida
- Azúcar - 2 bsp.

- Queso Cheddar - ½ taza, rallado
- Suero de mantequilla - 1 1/3 taza
- Harina - 1 taza

Instrucciones

1. En un recipiente, mezcle el suero de leche, el queso cheddar, el azúcar, ½ taza de mantequilla y la harina que se levanta. Haz una pasta.
2. Unte una taza de harina en una superficie de trabajo, enrolle la masa, aplástela, corte 8 círculos con un cortador de galletas y cúbralos con harina.
3. Recubra la cesta de la freidora de aire con papel de aluminio. Agregue las galletas, unte con mantequilla derretida y cocine a 380F por 20 minutos.
4. Servir.

Datos nutricionales por porción

- Calorías: 221
- Grasa: 3g
- Carbohidratos: 12g
- Proteína: 4 g

Calabacitas fritas

Tiempo de preparación: 10 minutos	Tiempo de cocción: 12 minutos	Porciones: 4

Ingredientes

- Calabacín - 1, cortado en palitos medianos
- Aceite de oliva - 1 spray
- Sal y pimienta negra al gusto
- Huevos - 2, batidos
- Pan rallado - 1 taza
- Harina - ½ taza

Instrucciones

1. En un bol, agregar la harina y mezclar con sal y pimienta.
2. Ponga el pan rallado en otro recipiente.
3. En un tercer recipiente, mezcle el huevo con sal y pimienta.
4. Escurra las papas fritas de calabacín en harina, luego en huevos y en pan rallado.
5. Engrasar la freidora con aceite de oliva.
6. Caliente a 400F. Agregue las papas fritas de calabacín y cocine por 12 minutos.
7. Servir.

Datos nutricionales por porción

- Calorías: 172
- Grasa: 3g
- Carbohidratos: 7g
- Proteína: 3 g

Tomates con Hierbas

Tiempo de preparación: 10 minutos	Tiempo de cocción: 15 minutos	Porciones: 4

Ingredientes

- Tomates grandes - 4, cortados por la mitad y sin nada por dentro
- Sal y pimienta negra al gusto
- Aceite de oliva - 1 cda.
- Ajo - 2 dientes, picados
- Tomillo - ½ cdta., picado

Método

1. En la freidora de aire, mezclar los tomates con el tomillo, ajo, aceite, sal y pimienta.

2. Mezcle y cocine a 390F por 15 minutos.
3. Servir.

Datos nutricionales por porción

- Calorías: 112
- Grasa: 1g
- Carbohidratos: 4g
- Proteína: 4 g

Escarolas cremosas

Tiempo de preparación: 10 minutos	Tiempo de cocción: 10 minutos	Porciones: 6

Ingredientes

- Escarolas - 6, cortadas a la mitad
- 1 cucharadita de ajo en polvo
- Yogur griego - ½ taza
- Curry en polvo - ½ tsp.
- Sal y pimienta negra al gusto
- Jugo de limón - 3 cdas.

Instrucciones

1. En un recipiente, mezcle las endibias con el jugo de limón, la sal, la pimienta, el polvo de curry, el yogur y el ajo en polvo. Cubrir bien y reservar durante 10 minutos.
2. Cocine en la freidora de aire precalentada a 350F durante 10 minutos.
3. Servir.

Datos nutricionales por porción

- Calorías: 100
- Grasa: 2g
- Carbohidratos: 7g
- Proteína: 4 g

Capítulo 5: Recetas para bocadillos y aperitivos

Bocadillo de pollo al coco

Tiempo de preparación: 10 minutos	Tiempo de cocción: 13 minutos	Porciones: 4

Ingredientes

- 2 cucharaditas de ajo en polvo
- Huevos - 2
- Sal y pimienta negra al gusto
- Pan rallado de pan Panko - ¾ taza
- Coco - ¾ taza, rallada
- Spray de cocina
- Licitaciones de pollo - 8

Instrucciones

1. En un recipiente, mezcle los huevos con el ajo en polvo, sal y pimienta, y bata bien.
2. En otro recipiente, mezcle el coco con el panko y revuelva bien.
3. Sumerja el pollo tierno en la mezcla de huevo y luego cubra bien con la mezcla de coco.
4. Rocíe los trozos de pollo con rocío de cocina.

5. Colóquelos en la cesta de la freidora de aire y cocínelos a 350°F durante 10 minutos.
6. Servir.

Datos nutricionales por porción

- Calorías: 252
- Grasa: 4g
- Carbohidratos: 14g
- Proteína: 24 g

Snack de coliflor con salsa de búfalo

Tiempo de preparación: 10 minutos	Tiempo de cocción: 15 minutos	Porciones: 4

Ingredientes

- Flor de coliflor - 4 tazas
- Pan rallado de pan Panko - 1 taza
- Mantequilla - ¼ taza, derretida
- Salsa de búfalo - ¼ taza
- Mayonesa para servir

Instrucciones

1. En un recipiente, mezcle la mantequilla y la salsa de búfalo y bata bien.
2. Sumerja los ramilletes de coliflor en la mezcla y cúbralos con pan rallado.
3. Colóquelos en la cesta de la freidora de aire y cocínelos a 350°F durante 15 minutos.
4. Servir.

Datos nutricionales por porción

- Calorías: 241
- Grasa: 4g
- Carbohidratos: 8g
- Proteína: 4 g

Bocadillo de plátano

Tiempo de preparación: 10 minutos	Tiempo de cocción: 5 minutos	Porciones: 8

Ingredientes

- Mantequilla de maní - ¼ taza

- Chispas de chocolate - ¾ de taza
- Plátano - 1, pelado y cortado en 16 trozos
- Aceite vegetal - 1 cda.

Otros

- 16 tazas de masa para hornear

Instrucciones

1. Derretir las chispas de chocolate en una olla pequeña a fuego lento o en el microondas.
2. En un recipiente, mezcle el aceite de coco con la mantequilla de maní y bata bien.
3. Ponga 1 cucharadita de mezcla de chocolate en una taza, agregue 1 rebanada de plátano y cubra con 1 cucharadita de mezcla de mantequilla.
4. Repita con el resto de las tazas; colóquelas todas en un plato que quepa en la freidora de aire.
5. Cocine a 320F por 5 minutos.
6. Enfríe, congele y sirva.

Datos nutricionales por porción

- Calorías: 70
- Grasa: 4g
- Carbohidratos: 10g

- Proteína: 1 g

Bocadillo de manzana

Tiempo de preparación: 10 minutos	Tiempo de cocción: 5 minutos	Porciones: 4

Ingredientes

- Manzanas grandes - 3, sin corazón, peladas y cortadas en cubos
- Jugo de limón - 2 cdtas.
- Pacanas - ¼ taza, picada
- Chispas de chocolate negro - ½ taza
- Salsa limpia de caramelo - ½ taza

Instrucciones

1. Mezcle las manzanas y el jugo de limón en un tazón.
2. Coloque en un plato que quepa en la freidora de aire.
3. Agregue las nueces y las chispas de chocolate, luego rocíe con salsa de caramelo. Revuelva.
4. Cocine a 320°F por 5 minutos en la freidora de aire.
5. Servir.

Datos nutricionales por porción

- Calorías: 200
- Grasa: 4g
- Carbohidratos: 20 g
- Proteína: 3 g

Muffins de Camarones

Tiempo de preparación: 10 minutos	Tiempo de cocción: 26 minutos	Porciones: 6

Ingredientes

- Calabaza espagueti - 1, pelada y cortada a la mitad
- Mayonesa - 2 cdas.
- Mozzarella - 1 taza, rallada
- Camarones - 8 onzas, pelados, cocidos y picados
- Panko - 1 ½ taza
- 1 cucharadita de hojuelas de perejil
- Diente de ajo - 1, picado
- Sal y pimienta negra al gusto
- Spray de cocina

Instrucciones

1. Coloque las mitades de calabaza en la freidora de aire.
2. Cocine a 350F por 16 minutos. Deje enfriar y raspe la carne en un tazón.
3. Agregue mozzarella, mayonesa, camarones, panko, hojuelas de perejil, pimienta y sal. Mezcle bien.
4. Rocíe una bandeja para panecillos con rocío de cocina y distribuya la mezcla de calabaza y camarones en cada taza.
5. Colocar en la freidora al aire libre y cocinar a 360°F por 10 minutos.
6. Servir.

Datos nutricionales por porción

- Calorías: 60
- Grasa: 2g
- Carbohidratos: 4g
- Proteína: 4 g

Pasteles de calabacín

Tiempo de preparación: 10 minutos	Tiempo de cocción: 12 minutos	Porciones: 12

Ingredientes

- Spray de cocina
- Eneldo - ½ taza, picada
- Huevo - 1
- Harina de trigo integral - ½ cup
- Sal y pimienta negra al gusto
- Cebolla amarilla - 1, picada
- Dientes de ajo - 2, picados
- Calabacines - 3, rallados

Instrucciones

1. En un recipiente, combine los calabacines con eneldo, huevo, sal, pimienta, harina, cebolla y ajo. Mezcle bien.
2. Hacer pequeñas hamburguesas con la mezcla y rociarlas con rocío de cocina.
3. Colóquelos en la cesta de la freidora de aire y cocínelos a 370F por 6 minutos de cada lado.
4. Servir.

Datos nutricionales por porción

- Calorías: 60
- Grasa: 1g
- Carbohidratos: 6g
- Proteína: 2 g

Galletas de pesto

Tiempo de preparación: 10 minutos	Tiempo de cocción: 17 minutos	Porciones: 6

Ingredientes

- Polvo de hornear - ½ tsp.
- Sal y pimienta negra al gusto
- Harina - 1 ¼ taza
- Albahaca - ¼ cdta., seca
- Ajo - 1 diente, picado
- 2 cdas. de pesto de albahaca
- Mantequilla - 3 cdas.

Instrucciones

1. Mezcle la mantequilla, el pesto, la albahaca, la cayena, el ajo, la harina, el polvo de hornear, la sal y la pimienta en un tazón y haga una masa.
2. Extender la masa en una bandeja para hornear forrada.
3. Hornee en la freidora de aire a 325F durante 17 minutos.
4. Deje enfriar y corte en galletas. Servir.

Datos nutricionales por porción

- Calorías: 200
- Grasa: 20g
- Carbohidratos: 4g
- Proteína: 7 g

Muffins de calabaza

Tiempo de preparación: 10 minutos	Tiempo de cocción: 15 minutos	Porciones: 18

Ingredientes

- Mantequilla - ¼ de taza
- Puré de calabaza - ¾ de taza
- 2 cucharadas de harina de linaza
- Harina - ¼ de taza
- Azúcar - ½ taza
- Nuez moscada - ½ cdta., molida
- Canela en polvo - 1 cdta.
- Polvo de hornear - ½ tsp.
- Huevo - 1
- Polvo de hornear - ½ tsp.

Instrucciones

1. Mezcle la mantequilla, el puré de calabaza y el huevo en un tazón y mezcle bien.
2. Agregue canela, nuez moscada, polvo de hornear, bicarbonato de sodio, azúcar, harina y harina de linaza.
3. Ponga esto en una bandeja para panecillos.
4. Hornee en la freidora de aire a 350F por 15 minutos.
5. Servir.

Datos nutricionales por porción

- Calorías: 50
- Grasa: 3g
- Carbohidratos: 2g
- Proteína: 2 g

Chips de calabacín

Tiempo de preparación: 10 minutos	Tiempo de cocción: 1 hora	Porciones: 6

Ingredientes

- Calabacines - 3, cortados en rodajas finas
- Sal y pimienta negra al gusto

- Aceite de oliva - 2 cdas.
- Vinagre balsámico - 2 cdas.

Instrucciones

1. Mezcle el vinagre, el aceite, la sal y la pimienta y bata bien.
2. Agregue las rebanadas de calabacín y revuelva para cubrirlas.
3. Cocine en la freidora de aire a 200°F durante 1 hora. Agitar una vez.
4. Servir.

Datos nutricionales por porción

- Calorías: 40
- Grasa: 3g
- Carbohidratos: 3g
- Proteína: 7 g

Carne seca de res

Tiempo de preparación: 2 horas	Tiempo de cocción: 1 hora y 30 minutos	Porciones: 6

Ingredientes

- Salsa de soja - 2 tazas
- Salsa Worcestershire - ½ taza
- Pimienta negra en grano - 2 cdas.
- Pimienta negra - 2 cdas.
- Carne de res redonda - 2 libras, rebanada

Instrucciones

1. En un tazón, mezcle la salsa Worcestershire, la pimienta negra, los granos de pimienta negra y la salsa de soja, y bata bien.
2. Agregue las rebanadas de carne de res. Cubra y mantenga en el refrigerador por 6 horas para marinar.
3. Cocine en la freidora al aire libre a 370°F durante 1 hora y 30 minutos.
4. Transfiera a un tazón y sirva.

Datos nutricionales por porción

- Calorías: 300
- Grasa: 12g
- Carbohidratos: 3g
- Proteína: 8 g

Hamburguesas de salmón para fiestas

Tiempo de preparación: 10 minutos	Tiempo de cocción: 22 minutos	Porciones: 4

Ingredientes

- Papas grandes - 3, hervidas, escurridas y machacadas
- Filete de salmón grande - 1, sin piel, sin espinas
- 2 cdas. de perejil picado
- Eneldo - 2 cucharadas, picado
- Sal y pimienta negra al gusto
- Huevo - 1
- Pan rallado - 2 cdas.
- Spray de cocina

Instrucciones

1. Cocine el salmón en la cesta de la freidora a 360ºF durante 10 minutos.
2. Transfiera el salmón a una tabla de cortar. Desmenúzalo y pongalo en un tazón.
3. Agregue el pan rallado, el huevo, el perejil, el eneldo, la sal, la pimienta y el puré de papas. Mezcle y dé forma a 8 hamburguesas.

4. Coloque las hamburguesas de salmón en la cesta de la freidora y rocíe con aceite de cocina.
5. Cocine a 360ºF por 12 minutos. Dé la vuelta una vez a la mitad del camino.
6. Servir.

Datos nutricionales por porción

- Calorías: 231
- Grasa: 3g
- Carbohidratos: 14g
- Proteína: 4 g

Chips de plátano

Tiempo de preparación: 10 minutos	Tiempo de cocción: 15 minutos	Porciones: 4

Ingredientes

- Plátanos - 4, pelados y cortados en rodajas
- Sal - 1 pizca
- Polvo de cúrcuma - ½ tsp.

- Chaat masala - ½ tsp.
- Aceite de oliva - 1 cdta.

Instrucciones

1. En un recipiente, mezcle las rebanadas de banana con aceite, chaat masala, cúrcuma y sal. Revuelva y deje reposar durante 10 minutos.
2. Cocine en la freidora de aire a 360°F por 15 minutos. Voltéelos una vez.
3. Servir.

Datos nutricionales por porción

- Calorías: 121
- Grasa: 1g
- Carbohidratos: 3g
- Proteína: 3 g

Rollos primavera

Tiempo de preparación: 10 minutos	Tiempo de cocción: 25 minutos	Porciones: 8

Ingredientes

- Col verde - 2 tazas, rallada
- Cebolla amarilla - 2, picada
- Zanahoria - 1 rallada
- Pimiento picante - ½, picado
- Jengibre - 1 cda.
- Ajo - 3 dientes, picados
- Azúcar - 1 cdta.
- Sal y pimienta negra al gusto
- Salsa de soja - 1 cdta.
- Aceite de oliva - 2 cdas.
- Rollos de primavera - 10
- Harina de maíz - 2 cdas.
- Agua - 2 cdas.

Instrucciones

1. Caliente el aceite en una sartén a fuego medio. Agregue la salsa de soja, la pimienta, la sal, el azúcar, el ajo, el jengibre, el chile, las zanahorias, la cebolla y el repollo. Saltear durante 2 a 3 minutos. Retire del fuego y deje que se enfríe.
2. Cortar los rollos de primavera en cuadrados, distribuir la mezcla de col en cada uno y enrollarlos.

3. En un recipiente, mezcle la harina de maíz con agua, revuelva bien y selle los rollitos de primavera con esta mezcla.
4. Coloque los rollitos de primavera en la cesta de la freidora de aire y cocine a 360°F durante 10 minutos.
5. Voltee el panecillo y cocine por 10 minutos más.
6. Servir.

Datos nutricionales por porción

- Calorías: 214
- Grasa: 4g
- Carbohidratos: 12g
- Proteína: 4 g

Palitos de cangrejo

Tiempo de preparación: 10 minutos	Tiempo de cocción: 12 minutos	Porciones: 4

Ingredientes

- Palitos de cangrejo - 10, cortados a la mitad
- Aceite de sésamo - 2 cdtas.

- Condimento cajún - 2 cdtas.

Instrucciones

1. Ponga los palitos de cangrejo en un tazón. Agregue el condimento y el aceite de ajonjolí. Revuelva y coloque en la canasta de la freidora de aire. Cocine a 350F por 12 minutos.
2. Servir.

Datos nutricionales por porción

- Calorías: 110
- Grasa: 0g
- Carbohidratos: 4g
- Proteína: 2 g

Bocadillo de Garbanzos

Tiempo de preparación: 10 minutos	Tiempo de cocción: 10 minutos	Porciones: 4

Ingredientes

- Garbanzos en lata - 15 onzas, escurridos
- Comino - ½ cdta.
- Aceite de oliva - 1 cda.
- Pimentón ahumado - 1 cdta.
- Sal y pimienta negra al gusto

Instrucciones

1. En un recipiente, mezclar los garbanzos con aceite, sal, pimienta, pimentón y comino. Revuelva para cubrir y coloque en la canasta de la freidora de aire.
2. Cocine a 390F por 10 minutos.
3. Servir.

Datos nutricionales por porción

- Calorías: 140
- Grasa: 1g
- Carbohidratos: 20 g
- Proteína: 6 g

Capítulo 6: Recetas de pescados y mariscos

Sabrosisimo bacalao

Tiempo de preparación: 10 minutos	Tiempo de cocción: 12 minutos	Porciones: 4

Ingredientes

- Filetes de bacalao - 2 (7 onzas cada uno)
- Aceite de sésamo - 1 spray
- Sal y pimienta negra al gusto
- Agua - 1 taza
- 1 cdta. de salsa de soja oscura
- Salsa de soja ligera - 4 cdas.
- Azúcar - 1 cda.
- Aceite de oliva - 3 cdas.
- Jengibre - 4 rebanadas
- Cebollas tiernas - 3, picadas
- 2 cdas. de cilantro, picado

Instrucciones

1. Sazone el pescado con aceite de ajonjolí, sal y pimienta. Frote bien y deje a un lado por 10 minutos.
2. Cocine en la freidora de aire a 356F por 12 minutos.

3. Mientras tanto, caliente una olla con agua a fuego medio.
4. Agregue las dos salsas de soja y el azúcar, revuelva y cocine a fuego lento. Retire del fuego.
5. Caliente el aceite de oliva en una sartén a fuego medio. Agregue la cebolla verde y el jengibre, revuelva y cocine por unos minutos y luego retire del fuego.
6. Divida el pescado entre los platos, cubra con cebollas verdes y jengibre.
7. Rocíe con la mezcla de salsa de soja y espolvoree con cilantro.
8. Servir.

Datos nutricionales por porción

- Calorías: 300
- Grasa: 17g
- Carbohidratos: 20 g
- Proteína: 22 g

Delicioso bagre

Tiempo de preparación: 10 minutos	Tiempo de cocción: 20 minutos	Porciones: 4

Ingredientes

- Filetes de bagre - 4
- Sal y pimienta negra al gusto
- Una pizca de pimentón dulce
- 1 cucharada de perejil picado
- Jugo de limón - 1 cda.
- Aceite de oliva - 1 cda.

Instrucciones

1. Sazone los filetes de bagre con aceite, pimentón, pimienta y sal. Frote bien.
2. Cocine en la freidora de aire a 400°F durante 20 minutos. Dar la vuelta al pescado después de 10 minutos.
3. Divida el pescado en platos, rocíe el jugo de limón por todas partes, espolvoree con perejil y sirva.

Datos nutricionales por porción

- Calorías: 253
- Grasa: 6g
- Carbohidratos: 26g
- Proteína: 22 g

Camarones con tabasco

Tiempo de preparación: 10 minutos	Tiempo de cocción: 10 minutos	Porciones: 4

Ingredientes

- Camarones - 1 libra, pelados y limpios
- 1 cdta. de hojuelas de pimiento rojo
- Aceite de oliva - 2 cdas.
- 1 cdta. de salsa tabasco
- Agua - 2 cdas.
- 1 cdta. de orégano, seco
- Sal y pimienta negra al gusto
- Perejil seco - ½ tsp.
- Pimentón ahumado - ½ tsp.

Instrucciones

1. En un recipiente, mezcle el agua, el aceite, la salsa tabasco, los camarones, el pimentón, la pimienta, la sal, el perejil, el orégano y las hojuelas de pimienta.
2. Transfiera los camarones a una freidora de aire precalentada a 370°F y cocine por 10 minutos. Agitar una vez.
3. Servir.

Datos nutricionales por porción

- Calorías: 200
- Grasa: 5g
- Carbohidratos: 13g
- Proteína: 8 g

Pinchos de camarones con mantequilla

Tiempo de preparación: 10 minutos	Tiempo de cocción: 6 minutos	Porciones: 2

Ingredientes

- Camarones - 8, pelados y desvenados
- Ajo - 4 dientes, picados
- Sal y pimienta negra al gusto
- Pimiento verde en rodajas - 8
- 1 cda. de romero, picado
- Mantequilla - 1 cucharada, derretida

Instrucciones

1. En un tazón, mezcle las rebanadas de pimiento, romero, pimienta, sal, mantequilla, ajo y camarones. Revuelva para cubrir y deje marinar por 10 minutos.

2. Coloque 2 rebanadas de pimiento y 2 camarones en un pincho y repita con el resto de los camarones y los trozos de pimiento.
3. Cocinarlos a 360°F durante 6 minutos.
4. Servir.

Datos nutricionales por porción

- Calorías: 140
- Grasa: 1g
- Carbohidratos: 15g
- Proteína: 7 g

Salmón asiático

Tiempo de preparación: 1 hora	Tiempo de cocción: 15 minutos	Porciones: 2

Ingredientes

- Filetes de salmón - 2 medianos
- Salsa de soja ligera - 6 cdas.
- Mirin - 3 cdas.
- Agua - 1 cdta.
- Miel - 6 cdas.

Instrucciones

1. Mezcle la salsa de soja con agua, miel y mirin, y bata bien. Añadir el salmón, frotar bien y marinar en la nevera durante 1 hora.
2. Cocine a 360°F por 15 minutos en la freidora de aire. Voltear una vez después de 7 minutos.
3. Mientras tanto, ponga la marinada de soja en una sartén, cocine a fuego lento y bata a fuego medio durante 2 minutos.
4. Divida el salmón entre los platos. Rocíe el adobo por todas partes y sirva.

Datos nutricionales por porción

- Calorías: 300
- Grasa: 12g
- Carbohidratos: 13g
- Proteína: 24 g

Salmón frito en la freidora de aire

Tiempo de preparación: 1 hora	Tiempo de cocción: 8 minutos	Porciones: 2

Ingredientes

- Filetes de salmón - 2
- Jugo de limón - 2 cdas.
- Sal y pimienta negra al gusto
- Ajo en polvo - ½ tsp.
- Agua - 1/3 de taza
- Salsa de soja - 1/3 de taza
- 3 cebollines, picados
- Azúcar morena - 1/3 de taza
- Aceite de oliva - 2 cdas.

Instrucciones

1. En un recipiente, mezcle el agua, el azúcar, el ajo en polvo, la salsa de soja, la sal, la pimienta, el aceite y el jugo de limón. Bata bien y añada los filetes de salmón. Cubra bien y deje marinar en el refrigerador durante 1 hora.
2. Cocine el salmón en la freidora al aire a 360°F por 8 minutos. Voltear una vez.
3. Divida el salmón entre los platos. Espolvoree los cebollines por encima y sirva.

Datos nutricionales por porción

- Calorías: 300
- Grasa: 12g

- Carbohidratos: 23g
- Proteína: 20 g

Filete de saba al limón

Tiempo de preparación: 10 minutos	Tiempo de cocción: 8 minutos	Porciones: 1

Ingredientes

- Filete de pescado Saba - 4, deshuesado
- Sal y pimienta negra al gusto
- Pimiento rojo - 3, picados
- Jugo de limón - 2 cdas.
- Aceite de oliva - 2 cdas.
- 2 cdas. de ajo, picado

Instrucciones

1. Sazone los filetes de pescado con sal y pimienta y colóquelos en un recipiente.
2. Agregue el ajo, el chile, el aceite y el jugo de limón, y revuelva para cubrir.
3. Transfiera el pescado a la freidora de aire y cocine a 360°F por 8 minutos. Dele la vuelta a la mitad.
4. Servir.

Datos nutricionales por porción

- Calorías: 300
- Grasa: 4g
- Carbohidratos: 15g
- Proteína: 15 g

Fletán asiático

Tiempo de preparación: 30 minutos	Tiempo de cocción: 10 minutos	Porciones: 3

Ingredientes

- Filetes de fletán - 1 libra
- Salsa de soja - 2/3 de taza
- Azúcar - ¼ de tazad
- Jugo de limón - 2 cdas.
- Mirin - ½ taza
- Escamas de pimiento rojo - ¼ de cdta., trituradas
- Jugo de naranja - ¼ de taza
- Jengibre - ¼ cdta., rallado
- Ajo - 1 diente, picado

Instrucciones

1. Vierta la salsa de soja en una sartén y caliente a fuego medio.
2. Agregue ajo, jengibre, hojuelas de pimienta, jugo de naranja, limón, azúcar y miriñaque.
3. Revuelva bien, hierva y retire del fuego.
4. Transfiera la mitad de la marinada a un tazón, añada el fletán, revuelva para cubrir y deje marinar en el refrigerador durante 30 minutos.
5. Cocine el fletán en la freidora de aire a 390°F durante 10 minutos. Voltear una vez.
6. Divida los filetes de fletán entre los platos, rocíe el resto de la marinada y sirva.

Datos nutricionales por porción

- Calorías: 286
- Grasa: 5g
- Carbohidratos: 14g
- Proteína: 23 g

Mezcla de Camarones y Cangrejo

Tiempo de preparación: 10 minutos	Tiempo de cocción: 25 minutos	Porciones: 4

Ingredientes

- Cebolla amarilla - ½ taza, picada
- Pimiento verde - 1 taza, picado
- Apio - 1 taza, picado
- Camarones - 1 taza, pelados y limpios
- Carne de cangrejo - 1 taza, en copos
- Mayonesa - 1 taza
- Salsa Worcestershire - 1 cdta.
- Sal y pimienta negra al gusto
- Pan rallado - 2 cdas.
- Mantequilla - 1 cucharada, derretida
- Pimentón dulce - 1 cdta.

Instrucciones

1. En un tazón, mezcle la carne de cangrejo, camarones, cebolla, pimiento, apio, mayonesa, sal, pimienta y salsa Worcestershire. Transfiera a una sartén.
2. Agregue la mantequilla derretida, el pimentón y el pan rallado. Cubra bien y coloque en la freidora de aire.
3. Cocine a 320F por 25 minutos. Agitar una vez a mitad de camino.
4. Servir.

Datos nutricionales por porción

- Calorías: 200

- Grasa: 13g
- Carbohidratos: 17g
- Proteína: 19 g

Cazuela de mariscos

Tiempo de preparación: 10 minutos	Hora de cocinar: 40 minutos	Porciones: 6

Ingredientes

- Mantequilla - 6 cdas.
- Hongos - 2 onzas, picados
- Pimiento verde - 1 pequeño, picado
- Apio - 1 tallo, picado
- Ajo - 2 dientes, picados
- Cebolla amarilla pequeña - 1, picada
- Sal y pimienta negra al gusto
- Harina - 4 cdas.
- Vino blanco - ½ taza
- Leche - 1 ½ taza
- Crema espesa - ½ taza
- Vieiras de mar - 4, rebanadas
- Eglefino - 4 onzas, sin piel, deshuesado y cortado en trozos pequeños

- Carne de langosta - 4 onzas, cocida y cortada en trozos pequeños
- Mostaza en polvo - ½ tsp.
- Jugo de limón - 1 cda.
- Pan rallado - 1/3 taza
- Sal y pimienta negra al gusto
- Queso Cheddar - 3 cucharadas, rallado
- Puñado de perejil picado
- Pimentón dulce - 1 cdta.

Instrucciones

1. Caliente 4 cucharadas de mantequilla en una sartén a fuego medio-alto.
2. Añada el vino, la cebolla, el ajo, el apio, los champiñones y el pimiento, y cocine por 10 minutos.
3. Agregue la leche, la crema y la harina, revuelva bien y cocine por 6 minutos.
4. Agregue el eglefino, la carne de langosta, las vieiras, la mostaza en polvo, la sal, la pimienta y el jugo de limón, y revuelva bien. Retire del fuego y coloque en una sartén.
5. En un bol, mezcle el resto de la mantequilla con el queso, el pimentón y el pan rallado, y espolvoree sobre la mezcla de mariscos.
6. Transfiera la sartén a la freidora de aire y cocine a 360°F por 16 minutos.

7. Servir con perejil.

Datos nutricionales por porción

- Calorías: 270
- Grasa: 32g
- Carbohidratos: 15g
- Proteína: 23 g

Trucha en salsa de mantequilla

Tiempo de preparación: 10 minutos	Tiempo de cocción: 10 minutos	Porciones: 4

Ingredientes

- Filetes de trucha - 4, deshuesados
- Sal y pimienta negra al gusto
- 3 cdtas. de cáscara de limón, rallada
- Cebollino - 3 cucharadas, picado
- Mantequilla - 6 cdas.
- Aceite de oliva - 2 cdas.
- Jugo de limón - 2 cdtas.

Instrucciones

1. Sazone la trucha con sal y pimienta. Rocíe con aceite y frote bien.
2. Cocine en la freidora de aire a 360ºF por 10 minutos. Voltear una vez.
3. Mientras tanto, calentar una sartén con la mantequilla a fuego medio. Agregue el jugo de limón, la ralladura, el cebollino, la sal y la pimienta. Bata bien y cocine por 2 minutos. Luego retire del fuego.
4. Divida los filetes de pescado entre los platos. Rocíe la salsa de mantequilla por todas partes y sirva.

Datos nutricionales por porción

- Calorías: 300
- Grasa: 12g
- Carbohidratos: 27g
- Proteína: 24 g

Salmón cremoso

Tiempo de preparación: 10 minutos	Tiempo de cocción: 10 minutos	Porciones: 4

Ingredientes

- Salmón - 4 filetes, deshuesado
- Aceite de oliva - 1 cda.
- Sal y pimienta negra al gusto
- Queso Cheddar - 1/3 de taza, rallado
- Mostaza - 1 ½ cdta.
- Crema de coco - ½ cup

Instrucciones

1. Sazone el salmón con sal y pimienta. Rocíe con aceite y frote bien.
2. En un recipiente, mezcle el queso cheddar, la crema de coco, la mostaza, la sal y la pimienta, y revuelva bien.
3. Transfiera el salmón a una sartén y agregue la mezcla de crema de coco.
4. Cocine en la freidora de aire a 320°F por 10 minutos.
5. Servir.

Datos nutricionales por porción

- Calorías: 200
- Grasa: 6g
- Carbohidratos: 17g
- Proteína: 20 g

Filete de barramundi con salsa de tomate

Tiempo de preparación: 10 minutos	Tiempo de cocción: 8 minutos	Porciones: 4

Ingredientes

- Barramundi - 2 filetes, sin hueso
- Aceite de oliva - 1 cda. más 2 cdas.
- Condimento italiano - 2 cdtas.
- Aceitunas verdes - ¼ taza, deshuesadas y picadas
- Tomates cherry - ¼ de taza, picadosd
- Aceitunas negras - ¼ de taza, picados
- Cáscara de limón - 2 cdas.
- Sal y pimienta negra al gusto
- 2 cdas. de perejil picado

Instrucciones

1. Frote el pescado con sal, pimienta, condimentos y 2 cucharaditas de aceite de oliva.
2. Cocine en la freidora de aire a 360°F por 8 minutos. Deles la vuelta.
3. En un recipiente, mezcle 1 cucharada de aceite de oliva, perejil, cáscara de limón, jugo de limón, sal, pimienta, aceitunas verdes, aceitunas negras y tomates. Mezcle bien.

4. Divida los peces entre los platos. Agregue la salsa de tomate por encima y sirva.

Datos nutricionales por porción

- Calorías: 270
- Grasa: 4g
- Carbohidratos: 18g
- Proteína: 27 g

Camarones y vegetales cremosos

Tiempo de preparación: 10 minutos	Hora de cocinar: 30 minutos	Porciones: 4

Ingredientes

- Hongos - 8 onzas, picados
- Espárragos - 1 manojo, cortados en trozos medianos
- Camarones - 1 libra, pelados y limpios
- Sal y pimienta negra al gusto
- Calabaza espagueti - 1, cortada en mitades
- Aceite de oliva - 2 cdas.
- Condimento italiano - 2 cdtas.
- Cebolla amarilla - 1, picada

- 1 cucharadita de hojuelas de pimiento rojo, machacadas
- Mantequilla - ¼ de taza, derretida
- Queso parmesano - 1 taza, rallado
- Ajo - 2 dientes, picados
- Crema espesa - 1 taza

Instrucciones

1. Cocine las mitades de calabaza en la freidora de aire a 390°F durante 17 minutos. Transfiera a una tabla de cortar, recoja por dentro y transfiera a un tazón.
2. Ponga a hervir una olla con agua ligeramente salada. Agregue los espárragos y cocine al vapor por un par de minutos. Luego retire y coloque en agua helada, escúrralo y déjelo a un lado.
3. En una sartén, caliente el aceite a fuego medio. Agregue los hongos y las cebollas y sofría durante 7 minutos.
4. Agregue ajo, parmesano, crema, mantequilla derretida, camarones, espárragos, calabaza, sal, pimienta, condimentos y hojuelas de pimienta. Revuelva y cocine en la freidora de aire a 360°F durante 6 minutos.
5. Servir.

Datos nutricionales por porción

- Calorías: 325
- Grasa: 6g
- Carbohidratos: 14g
- Proteína: 13 g

Salsa de atún y chimichurri

Tiempo de preparación: 10 minutos	Tiempo de cocción: 8 minutos	Porciones: 4

Ingredientes

- Cilantro - ½ taza, picada
- Aceite de oliva - 1/3 de taza más 2 cdas.
- Cebolla roja pequeña - 1, picada
- 3 cucharadas de vinagre balsámico
- 2 cdas. de perejil picado
- 2 cdas. de albahaca picada
- Pimiento jalapeño - 1, picado
- Sushi tuna steak - 1 libra
- Sal y pimienta negra al gusto
- 1 cdta. de hojuelas de pimiento rojo
- 1 cdta. de tomillo picado

- Ajo - 3 dientes, picados
- Aguacates - 2, en rodajas
- 6 onzas de arúgula

Instrucciones

1. En un recipiente, mezcle 1/3 taza de aceite con sal, pimienta, tomillo, hojuelas de pimienta, perejil, ajo, albahaca, cilantro, cebolla, vinagre, jalapeño y 1/3 taza de aceite. Batir bien y reservar.
2. Sazone el atún con sal y pimienta. Frote con el resto del aceite.
3. Cocine en la freidora de aire a 360°F por 3 minutos de cada lado.
4. Mezcle la rúcula con la mitad de la mezcla de chimichurri y revuelva para cubrirla.
5. Divida la rúcula entre los platos. Corte el atún en rodajas y divídalo entre platos. Cubrir con el resto de los chimichurri y servir.

Datos nutricionales por porción

- Calorías: 276
- Grasa: 3g
- Carbohidratos: 14g
- Proteína: 20 g

Capítulo 7: Recetas de aves de corral

Pollo cremoso con coco

Tiempo de preparación: 2 horas	Tiempo de cocción: 25 minutos	Porciones: 4

Ingredientes

- Muslos de pollo grandes - 4
- Cúrcuma en polvo - 5 cdtas.
- Jengibre - 2 cucharadas, rallado
- Sal y pimienta negra al gusto
- Crema de coco - 4 cdas.

Instrucciones

1. En un tazón, mezcle la sal, la pimienta, el jengibre, la cúrcuma y la crema. Batidor. Agregue los trozos de pollo, cubra y deje marinar durante 2 horas.
2. Transfiera el pollo a la freidora de aire precalentada y cocine a 370°F por 25 minutos.
3. Servir.

Datos nutricionales por porción

- Calorías: 300

- Grasa: 4g
- Carbohidratos: 22g
- Proteína: 20 g

Alitas de pollo chinas

Tiempo de preparación: 2 horas	Tiempo de cocción: 15 minutos	Porciones: 6

Ingredientes

- Alitas de pollo - 16
- Miel - 2 cdas.
- Salsa de soja - 2 cdas.
- Sal y pimienta negra al gusto
- Pimienta blanca - ¼ tsp.
- Jugo de limón - 3 cdas.

Instrucciones

1. En un recipiente, mezcle la salsa de soja, la miel, la sal, la pimienta negra, el jugo de limón y la pimienta blanca. Batir bien.
2. Agregue los trozos de pollo y cubra bien. Marinar en la nevera durante 2 horas.

3. Cocine en la freidora al aire libre a 370°F por 6 minutos de cada lado.
4. Aumente la temperatura a 400°F y cocine por 3 minutos más.
5. Servir.

Datos nutricionales por porción

- Calorías: 372
- Grasa: 9g
- Carbohidratos: 37g
- Proteína: 24 g

Pollo a las Hierbas

Tiempo de preparación: 30 minutos	Hora de cocinar: 40 minutos	Porciones: 4

Ingredientes

- Pollo entero - 1
- Sal y pimienta negra al gusto
- 1 cucharadita de ajo en polvo
- Cebolla en polvo - 1 cdta.
- Tomillo - ½ cdta., seco

- 1 cdta. de romero, seco
- Jugo de limón - 1 cda.
- Aceite de oliva - 2 cdas.

Instrucciones

1. Sazone el pollo con sal y pimienta. Frotar con cebolla en polvo, ajo en polvo, romero y tomillo. Frote con aceite de oliva y jugo de limón y deje marinar durante 30 minutos.
2. Cocine el pollo en la freidora de aire a 360°F por 20 minutos de cada lado.
3. Cortar y servir.

Datos nutricionales por porción

- Calorías: 390
- Grasa: 10g
- Carbohidratos: 22g
- Proteína: 20 g

Pollo a la parmesana

Tiempo de preparación: 10 minutos	Tiempo de cocción: 15 minutos	Porciones: 4

Ingredientes

- Pan rallado Panko - 2 tazas
- Parmesano - ¼ taza, rallada
- Ajo en polvo - ½ tsp.
- Harina blanca - 2 tazas
- Huevo - 1, batido
- Chuletas de pollo - 1 ½ libras, sin piel y sin hueso
- Sal y pimienta al gusto
- Mozzarella - 1 taza, rallada
- Salsa de tomate - 2 tazas
- 3 cdas. de albahaca picada

Instrucciones

1. En un recipiente, mezcle el ajo en polvo y el parmesano, y revuelva.
2. Ponga la harina en un segundo recipiente y el huevo en un tercero.
3. Sazone el pollo con sal y pimienta.
4. Sumerja el pollo en harina, luego en la mezcla de huevo y en el panko.
5. Cocine los trozos de pollo en la freidora de aire a 360°F durante 3 minutos por cada lado.
6. Transfiera el pollo a una bandeja para hornear.
7. Agregue la salsa de tomate y cubra con mozzarella.
8. Cocine en la freidora de aire a 375F por 7 minutos.

9. Divida entre los platos, espolvoree la albahaca por encima y sirva.

Datos nutricionales por porción

- Calorías: 304
- Grasa: 12g
- Carbohidratos: 22g
- Proteína: 15 g

Pollo Mexicano

Tiempo de preparación: 10 minutos	Tiempo de cocción: 20 minutos	Porciones: 4

Ingredientes

- Salsa verde - 16 onzas
- Aceite de oliva - 1 cda.
- Sal y pimienta negra al gusto
- Pechuga de pollo - 1 libra, deshuesada y sin piel
- Queso Monetary Jack - 1 ½ taza, rallada
- Cilantro - ¼ de taza, picada
- 1 cucharadita de ajo en polvo

Instrucciones

1. Vierta la salsa verde en una bandeja para hornear.
2. Sazone el pollo con ajo en polvo, sal y pimienta, y unte con aceite de oliva. Coloque sobre la salsa verde.
3. Poner en la freidora de aire y cocinar a 380F por 20 minutos.
4. Espolvoree el queso por encima y cocine por 2 minutos más.
5. Servir.

Datos nutricionales por porción

- Calorías: 340
- Grasa: 18g
- Carbohidratos: 32g
- Proteína: 18 g

Pollo Cremoso con Arroz

Tiempo de preparación: 10 minutos	Hora de cocinar: 30 minutos	Porciones: 4

Ingredientes

- Pechugas de pollo - 1 libra, sin piel, deshuesadas y cortadas en cuartos
- Arroz blanco - 1 taza, cocido
- Sal y pimienta negra al gusto
- Aceite de oliva - 1 cda.
- Ajo - 3 dientes, picados
- Cebolla amarilla - 1, picada
- Vino blanco - ½ taza
- Crema espesa - ¼ de taza
- Caldo de pollo - 1 taza
- Perejil - ¼ de taza, picada
- Guisantes - 2 tazas, congelados
- Parmesano - 1 ½ tazas, ralladas

Indtrucciones

1. Sazone el pollo con sal y pimienta. Rocíe la mitad del aceite y frote bien.
2. Colocar en la cesta de la freidora de aire y cocinar a 360°F durante 6 minutos.
3. Calentar el resto del aceite en una sartén. Agregue el ajo, el vino, la cebolla, el caldo, la crema espesa, la sal y la pimienta, y revuelva.
4. Deje hervir a fuego lento y cocine por 9 minutos.
5. Transfiera las pechugas de pollo a un plato y agregue los guisantes, el arroz y la mezcla de crema sobre ellas. Espolvorear con perejil y parmesano.

6. Poner en la freidora al aire libre y cocinar a 420°F por 10 minutos.
7. Servir.

Datos nutricionales por porción

- Calorías: 313
- Grasa: 12g
- Carbohidratos: 27g
- Proteína: 44 g

Pollo Italiano

Tiempo de preparación: 10 minutos	Tiempo de cocción: 16 minutos	Porciones: 4

Ingredientes

- Muslos de pollo - 5
- Aceite de oliva - 1 cda.
- Ajo - 2 dientes, picados
- 1 cda. de tomillo, picado
- Crema espesa - ½ taza
- Caldo de pollo - ¾ de taza
- 1 cdta. de hojuelas de pimiento rojo, machacadas

- Parmesano - ¼ de taza, rallada
- Tomates secos - ½ taza
- 2 cdas. de albahaca picada
- Sal y pimienta negra al gusto

Instrucciones

1. Sazone el pollo con sal y pimienta, y frote con la mitad del aceite.
2. Coloque en la freidora de aire precalentada a 350°F y cocine por 4 minutos.
3. Mientras tanto, calentar el resto del aceite en una sartén y añadir el ajo, el tomillo, las hojuelas de pimiento, los tomates, el caldo, la crema espesa, la sal, el parmesano y la pimienta.
4. Dejar hervir a fuego lento y retirar del fuego. Colocar la mezcla en un plato.
5. Agregue los muslos de pollo por encima y cocine en la freidora de aire a 320°F durante 12 minutos.
6. Servir con albahaca espolvoreada por encima.

Datos nutricionales por porción

- Calorías: 272
- Grasa: 9g
- Carbohidratos: 37g

- Proteína: 23 g

Pechugas de pato con miel

Tiempo de preparación: 10 minutos	Tiempo de cocción: 22 minutos	Porciones: 2

Ingredientes

- Pechuga de pato ahumada - 1, cortada a la mitad
- Miel - 1 cdta.
- Pasta de tomate - 1 cdta.
- Mostaza - 1 cda.
- Vinagre de manzana - ½ tsp.

Instrucciones

1. Mezcle la pasta de tomate, la miel, la mostaza y el vinagre en un recipiente. Batir bien.
2. Agregue los trozos de pechuga de pato y cubra bien.
3. Cocine en la freidora de aire a 370F por 15 minutos.
4. Retire la pechuga de pato de la freidora al aire libre y añádala a la mezcla de miel.
5. Cocine de nuevo a 370F por 6 minutos.
6. Servir.

Datos nutricionales por porción

- Calorías: 274
- Grasa: 11g
- Carbohidratos: 22g
- Proteína: 13 g

Patas de Pato Chino

Tiempo de preparación: 10 minutos	Hora de cocinar: 36 minutos	Porciones: 2

Ingredientes

- Patas de pato - 2
- Pimientos secos - 2, picados
- Aceite de oliva - 1 cda.
- Anís estrellado - 2
- Cebollas tiernas - 1 manojo picado
- Jengibre - 4 rebanadas
- 1 cda. de salsa de ostras
- Salsa de soja - 1 cda.
- Aceite de sésamo - 1 cdta.
- Agua - 14 onzas
- 1 cda. de vino de arroz

Instrucciones

1. Caliente el aceite en una sartén.
2. Agregue agua, salsa de soja, salsa de ostras, jengibre, vino de arroz, aceite de ajonjolí, anís estrellado y chile. Revuelva y cocine por 6 minutos.
3. Agregue las cebolletas y las patas de pato, revuelva para cubrirlas y colóquelas en una sartén.
4. Coloque la sartén en la freidora de aire y cocine a 370°F por 30 minutos.
5. Servir.

Datos nutricionales por porción

- Calorías: 300
- Grasa: 12g
- Carbohidratos: 26g
- Proteína: 18 g

Salsa de pato y ciruela

Tiempo de preparación: 10 minutos	Hora de cocinar: 32 minutos	Porciones: 2

Ingredientes

- Pechugas de pato - 2
- Mantequilla - 1 cucharada, derretida
- Anís estrellado - 1
- Aceite de oliva - 1 cda.
- Chalote - 1, picado
- Regordetes rojos - 9 onzas, deshuesados, cortados en pequeños trozos
- Azúcar - 2 cdas.
- Vino tinto - 2 cdas.
- Caldo de res - 1 taza

Instrucciones

1. En una sartén, caliente el aceite de oliva a fuego medio. Añadir el chalote. Saltear durante 5 minutos.
2. Agregue las ciruelas y el azúcar, revuelva y cocine hasta que el azúcar se disuelva.
3. Añadir el vino y el caldo. Revuelva y cocine por 15 minutos. Retire del fuego y mantenga caliente.
4. Anote las pechugas de pato, sazone con sal y pimienta. Frote con mantequilla derretida y transfiera a una fuente a prueba de calor. Agregue la salsa de ciruela y el anís estrellado.
5. Poner en la freidora al aire libre y cocinar a 360°F por 12 minutos.
6. Servir.

Datos nutricionales por porción

- Calorías: 400
- Grasa: 25g
- Carbohidratos: 29g
- Proteína: 44 g

Pechugas de pato japonés

Tiempo de preparación: 10 minutos	Tiempo de cocción: 20 minutos	Porciones: 6

Ingredientes

- Pechugas de pato - 6, sin hueso
- Salsa de soja - 4 cdas.
- Polvo de cinco especias - 1 ½ cdta.
- Miel - 2 cdas.
- Sal y pimienta negra al gusto
- Caldo de pollo - 20 onzas
- Jengibre - 4 rebanadas
- 4 cucharadas de salsa Hoisin
- Aceite de sésamo - 1 cdta.

Instrucciones

1. En un recipiente, mezcle el polvo de cinco especias con miel, sal, pimienta y salsa de soja. Batir, agregar las pechugas de pato y cubrir bien. Deje a un lado.
2. Caliente el caldo de pollo, la salsa de soja, el jengibre y el aceite de sésamo en una sartén a fuego medio-alto. Revuelva bien y cocine por 3 minutos. Retirar del fuego y reservar.
3. Cocine las pechugas de pato en la freidora de aire a 400°F durante 15 minutos.
4. Divida entre los platos, rocíe con la mezcla de salsa de soja y jengibre y sirva.

Datos nutricionales por porción

- Calorías: 336
- Grasa: 12g
- Carbohidratos: 25 g
- Proteína: 33 g

Pechugas de pato con escarole

Tiempo de preparación: 10 minutos	Tiempo de cocción: 25 minutos	Porciones: 4

Ingredientes

- Pechugas de pato - 2
- Sal y pimienta negra al gusto
- Azúcar - 1 cda.
- Aceite de oliva - 1 cda.
- Endibias - 6, cortadas en juliana
- Arándanos rojos - 2 cdas.
- Vino blanco - 8 onzas
- 1 cda. de ajo, picado
- Crema Pesada - 2 cdas.

Instrucciones

1. Marque las pechugas de pato y sazone con sal y pimienta.
2. Cocine en la freidora de aire a 350°F por 20 minutos. Voltear una vez.
3. Mientras tanto, caliente una sartén con aceite a fuego medio. Añada las endibias y el azúcar. Revuelva y cocine por 2 minutos.
4. Agregue sal, pimienta, vino, ajo, crema y arándanos. Saltear durante 3 minutos.
5. Divida las pechugas de pato entre los platos. Rocíe con la salsa de endibias y sirva.

Datos nutricionales por porción

- Calorías: 400
- Grasa: 12g
- Carbohidratos: 29g
- Proteína: 28 g

Ensalada de Pollo

Tiempo de preparación: 10 minutos	Tiempo de cocción: 10 minutos	Porciones: 4

Ingredientes

- Pechuga de pollo - 1 libra, deshuesada, sin piel y cortada a la mitad
- Spray de cocina
- Sal y pimienta negra en la bandeja
- Queso - ½ taza, en cubos
- Jugo de limón - 2 cdas.
- Mostaza - 1 ½ cdta.
- Aceite de oliva - 1 cda.
- Vinagre de vino tinto - 1 ½ cdta.
- Anchoas - ½ cdta. picadas
- Ajo - ¾ de cdta. picado

- Agua - 1 cda.
- Hojas de lechuga - 8 tazas, cortadas en tiras
- 4 cdas. de parmesano rallado

Instrucciones

1. Rocíe las pechugas de pollo con aceite de cocina. Sazone con sal y pimienta.
2. Poner en la freidora al aire libre y cocinar a 370F por 10 minutos. Voltear una vez.
3. Desmenuzar el pollo con 2 tenedores. Poner en una ensaladera y mezclar con las hojas de lechuga.
4. En una licuadora, mezcle el queso en rebanadas con el jugo de limón, el aceite de oliva, la mostaza, el vinagre, el ajo, las anchoas, el agua y la mitad del parmesano, y mezcle muy bien.
5. Agregue esto a la mezcla de pollo. Revuelva y espolvoree con el parmesano restante y sirva.

Datos nutricionales por porción

- Calorías: 312
- Grasa: 6g
- Carbohidratos: 22g
- Proteína: 26 g

Hamburguesas de pavo

Tiempo de preparación: 10 minutos	Tiempo de cocción: 8 minutos	Porciones: 4

Ingredientes

- Carne de pavo - 1 libra, molida
- Chalote - 1 picado
- Un chorrito de aceite de oliva
- Pimiento jalapeño pequeño - 1, picado
- 2 cdtas. de jugo de limón
- Cáscara de 1 lima, rallada
- Sal y pimienta negra al gusto
- 1 cdta. de comino molido
- Pimentón dulce - 1 cdta.
- Guacamole para servir

Instrucciones

1. En un recipiente, combine la carne de pavo con el jugo de limón, la cáscara, el jalapeño, el chalote, el pimentón, el comino, la sal y la pimienta. Mezcle bien.
2. Dé forma a las hamburguesas con esta mezcla y rocíe el aceite sobre ellas.
3. Cocine en la freidora de aire precalentada a 370 F durante 8 minutos por cada lado.

4. Divida entre los platos y sirva con guacamole por encima.

Datos nutricionales por porción

- Calorías: 200
- Grasa: 12g
- Carbohidratos: 0g
- Proteína: 12 g

Capítulo 8: Recetas de carne

Filete de bistec de carne

Tiempo de preparación: 10 minutos	Tiempo de cocción: 20 minutos	Porciones: 4

Ingredientes

- Bistec Ribeye - 2 libras
- Sal y pimienta negra al gusto
- Aceite de oliva - 1 cda.

Para el roce

- Pimentón dulce - 3 cdas.
- Cebolla en polvo - 2 cdas.
- Ajo en polvo - 2 cdas.
- Azúcar morena - 1 cda.
- Orégano - 2 cucharadas, seco
- Comino - 1 cucharada, molido
- Romero - 1 cucharada, seco

Instrucciones

1. Mezclar comino, sal, pimienta, romero, orégano, azúcar, ajo en polvo, cebolla en polvo y pimentón en un bol. Revuelva y frote el bistec con esta mezcla.
2. Sazone el bistec con sal y pimienta, y frote nuevamente con el aceite.
3. Colocar en la freidora al aire libre y cocinar a 400°F durante 20 minutos. Voltear una vez.
4. Cortar y servir.

Datos nutricionales por porción

- Calorías: 320
- Grasa: 8g
- Carbohidratos: 22g
- Proteína: 21 g

Bistec chino con broccoli

Tiempo de preparación: 45 minutos	Tiempo de cocción: 12 minutos	Porciones: 4

Ingredientes

- Filete redondo - ¾ de libra, cortado en tiras
- Floretes de brócoli - 1 libra
- 1/3 de taza de salsa de ostras
- Aceite de sésamo - 2 cdtas.
- Salsa de soja - 1 cdta.
- Azúcar - 1 cdta.
- Jerez - 1/3 de taza
- Aceite de oliva - 1 cda.
- Ajo - 1 diente, picado

Instrucciones

1. En un recipiente, mezcle el azúcar, el jerez, la salsa de soja, la salsa de ostras y el aceite de ajonjolí. Agregue la carne de res, revuelva para cubrir y deje marinar por 30 minutos.
2. Transfiera a un tazón. Agregue el aceite, el ajo y el brócoli. Revuelva para abrigar.
3. Cocine a 380F por 12 minutos.
4. Servir.

Datos nutricionales por porción

- Calorías: 330

- Grasa: 12g
- Carbohidratos: 23g
- Proteína: 23 g

Cerdo provenzal

Tiempo de preparación: 10 minutos	Tiempo de cocción: 15 minutos	Porciones: 2

Ingredientes

- Cebolla roja - 1, rebanada
- Pimiento morrón amarillo - 1, cortado en tiras
- Pimiento verde - 1, cortado en tiras
- Sal y pimienta negra al gusto
- 2 cucharaditas de hierbas provenzales
- Mostaza - ½ tsp.
- Aceite de oliva - 1 cda.
- Lomo de cerdo - 7 onzas

Instrucciones

1. En un plato, mezcle sal, pimienta, cebolla, pimiento verde, pimiento amarillo, hierbas y la mitad del aceite, y mezcle bien.

2. Sazone la carne de cerdo con mostaza, sal, pimienta y el resto del aceite. Revuelva bien y añada a los vegetales.
3. Cocine en la freidora de aire a 370F por 15 minutos.
4. Servir.

Datos nutricionales por porción

- Calorías: 300
- Grasa: 8g
- Carbohidratos: 21g
- Proteína: 23 g

Cordero y coles de Bruselas cremosas

Tiempo de preparación: 10 minutos	Tiempo de cocción: 1 hora y 10 minutos	Porciones: 4

Ingredientes

- Pierna de cordero - 2 libras, anotadas
- Aceite de oliva - 2 cdas.
- 1 cda. de romero, picado

- 1 cucharada de tomillo limón, picado
- Ajo - 1 diente, picado
- Coles de Bruselas - 1 ½ libras, recortadas
- Mantequilla - 1 cucharada, derretida
- Crema agria - ½ taza
- Sal y pimienta negra al gusto

Instrucciones

1. Sazonar la pierna de cordero con romero, tomillo, sal y pimienta. Unte con aceite y coloque en la cesta de la freidora de aire.
2. Cocine a 300F por 1 hora. Páselo a un plato y manténgalo caliente.
3. En una sartén, mezcle las coles de Bruselas con crema agria, mantequilla, ajo, sal y pimienta. Mezcle bien y cocine a 400F por 10 minutos.
4. Dividir el cordero entre los platos, añadir las coles de Bruselas a un lado y servir.

Datos nutricionales por porción

- Calorías: 440
- Grasa: 23g

- Carbohidratos: 2g
- Proteína: 49 g

Tiras de carne de res con guisantes de nieve y champiñones

Tiempo de preparación: 10 minutos	Tiempo de cocción: 22 minutos	Porciones: 2

Ingredientes

- Carne de res - 2, cortada en tiras
- Sal y pimienta negra al gusto
- Guisantes - 7 onzas
- Hongos blancos - 8 onzas, cortados por la mitad
- Cebolla amarilla - 1, cortada en aros
- Salsa de soja - 2 cdas.
- Aceite de oliva - 1 cdta.

Instrucciones

1. En un recipiente, mezcle la salsa de soja y el aceite de oliva, y bata. Agregue las tiras de carne de res y cubra.

2. En otro recipiente, mezcle los hongos, la cebolla, los guisantes con sal, pimienta y el aceite. Revuelva bien.
3. Coloque la mezcla de hongos en una sartén y cocine en la freidora de aire a 350°F durante 16 minutos.
4. Agregue las tiras de carne de res a la sartén y cocine a 400°F por 6 minutos más.
5. Servir.

Datos nutricionales por porción

- Calorías: 235
- Grasa: 8g
- Carbohidratos: 22g
- Proteína: 24 g

Chuletas de cordero al ajo

Tiempo de preparación: 10 minutos	Tiempo de cocción: 10 minutos	Porciones: 4

Ingredientes

- Aceite de oliva - 3 cdas.
- Chuletas de cordero - 8

- Sal y pimienta negra al gusto
- Ajo - 4 dientes, picados
- 1 cda. de orégano, picado
- 1 cda. de cilantro, picado

Instrucciones

1. En un recipiente, mezcle el orégano con el ajo, el aceite, la sal, la pimienta y las chuletas de cordero, y cubra bien.
2. Cocine en la freidora de aire a 400°F por 10 minutos.
3. Servir.

Datos nutricionales por porción

- Calorías: 231
- Grasa: 7g
- Carbohidratos: 14g
- Proteína: 23 g

Cordero crujiente

Tiempo de preparación: 10 minutos	Hora de cocinar: 30 minutos	Porciones: 4

Ingredientes

- Pan rallado - 1 cda.
- 2 cucharadas de nueces de macadamia, tostadas y machacadas
- Aceite de oliva - 1 cda.
- Ajo - 1 diente, picado
- Rejilla de cordero - 28 onzas
- Sal y pimienta negra al gusto
- Huevo - 1
- 1 cda. de romero, picado

Instrucciones

1. Mezcle el aceite y el ajo en un tazón y revuelva bien.
2. Sazone el cordero con sal y pimienta, y unte con aceite.
3. En otro recipiente, mezcle las nueces con el romero y el pan rallado.
4. Ponga el huevo en un recipiente separado y bata bien.
5. Ponga el cordero en el huevo y luego en la mezcla de macadamia.
6. Colóquelos en la cesta de la freidora de aire. Cocine a 360°F por 25 minutos.
7. Aumente la temperatura a 400°F y cocine por 5 minutos más.

8. Servir.

Datos nutricionales por porción

- Calorías: 230
- Grasa: 2g
- Carbohidratos: 10g
- Proteína: 12 g

Cerdo indio

Tiempo de preparación: 35 minutos	Tiempo de cocción: 10 minutos	Porciones: 4

Ingredientes

- Jengibre en polvo - 1 cdta.
- Pasta de chile - 2 cdtas.
- Dientes de ajo - 2, picados
- Chuletas de cerdo - 14 onzas, en cubos
- Chalote - 1, picado
- 1 cdta. de cilantro molido
- Leche de coco - 7 onzas

- Aceite de oliva - 2 cdas.
- Maní - 3 onzas, molidos
- Salsa de soja - 3 cdas.
- Sal y pimienta negra al gusto

Instrucciones

1. En un tazón, mezcle el polvo de jengibre con la mitad del aceite, la mitad de la salsa de soja, la mitad del ajo y 1 cucharadita de pasta de chile. Bata y añada la carne. Recubra y deje marinar por 10 minutos.
2. Cocine la carne a 400°F en la freidora de aire por 12 minutos.
3. Mientras tanto, calentar la sartén con el resto del aceite y añadir los maníes, la leche de coco, el cilantro, el chalote, el resto del ajo, la pasta de chile y la salsa de soja. Saltear durante 5 minutos.
4. Divida la carne de cerdo entre los platos, unte la mezcla de coco por encima y sirva.

Datos nutricionales por porción

- Calorías: 423
- Grasa: 11g
- Carbohidratos: 42g

- Proteína: 18 g

Filetes de res con ajo y mayonesa

Tiempo de preparación: 10 minutos	Hora de cocinar: 40 minutos	Porciones: 8

Ingredientes

- Mayonesa - 1 taza
- Crema agria - 1/3 de taza
- Ajo - 3 dientes, picados
- Filete de res - 3 libras
- Cebollino - 2 cucharadas, picado
- Mostaza - 2 cdas.
- Estragón - ¼ de taza, picada
- Sal y pimienta negra al gusto

Instrucciones

1. Sazone la carne con sal y pimienta y colóquela en la freidora de aire.

2. Cocine a 370F por 20 minutos. Páselo a un plato y déjelo a un lado.
3. En un recipiente, mezcle el ajo con sal, pimienta, mayonesa, cebollino y crema agria. Batir y reservar.
4. En otro recipiente, mezcle la mostaza con el estragón y la mostaza de Dijon. Bata y añada la carne. Mezcle bien.
5. Regrese la carne a la freidora de aire y cocine a 350°F por 20 minutos más.
6. Divida la carne entre los platos, unte la mayonesa con ajo por encima y sirva.

Datos nutricionales por porción

- Calorías: 400
- Grasa: 12g
- Carbohidratos: 27g
- Proteína: 19 g

Carne de res marinada con mostaza

Tiempo de preparación: 10 minutos	Hora de cocinar: 45 minutos	Porciones: 6

Ingredientes

- Tiras de tocino - 6
- Mantequilla - 2 cdas.
- Ajo - 3 dientes, picados
- Sal y pimienta negra al gusto
- Rábano picante - 1 cda.
- Mostaza - 1 cda.
- Asado de res - 3 libras
- Caldo de res - 1 ¾ taza
- Vino tinto - ¾ de taza

Instrucciones

1. En un recipiente, mezcle la mantequilla con el rábano picante, la sal, la pimienta, el ajo y la mostaza. Batir y frotar la carne con esta mezcla.
2. Coloque las tiras de tocino en una tabla para cortar. Coloque la carne por encima y doble el tocino alrededor de la carne.
3. Colocar en la cesta de la freidora de aire y cocinar a 400°F por 15 minutos y transferir a una sartén.
4. Añada el caldo y el vino a la carne. Coloque la sartén en la freidora de aire y cocine a 360°F por 30 minutos.
5. Corte la carne, divídala en platos y sírvala.

Datos nutricionales por porción

- Calorías: 500
- Grasa: 9g
- Carbohidratos: 29g
- Proteína: 36 g

Cerdo cremoso

Tiempo de preparación: 10 minutos	Tiempo de cocción: 22 minutos	Porciones: 6

Ingredientes

- Carne de cerdo - 2 libras, deshuesada y cortada en cubos
- Cebolla amarilla - 2, picada
- Aceite de oliva - 1 cda.
- Ajo - 1 diente, picado
- Caldo de pollo - 3 tazas
- Pimentón dulce - 2 cdas.
- Sal y pimienta negra al gusto

- Harina blanca - 2 cdas.
- Crema agria - 1 ½ taza
- Eneldo - 2 cucharadas, picado

Instrucciones

1. En una sartén, mezclar el cerdo con aceite, sal y pimienta.
2. Colocar en la freidora de aire y cocinar a 360ºF por 7 minutos.
3. Añadir la crema agria, el eneldo, la harina, el pimentón, el caldo, el ajo y la cebolla. Mezcle bien.
4. Cocine a 370F por 15 minutos más.
5. Servir.

Datos nutricionales por porción

- Calorías: 300
- Grasa: 4g
- Carbohidratos: 26g
- Proteína: 34 g

Chuletas de cerdo marinadas con cebolla

Tiempo de preparación: 24 horas	Tiempo de cocción: 25 minutos	Porciones: 6

Ingredientes

- Chuletas de cerdo - 2
- Aceite de oliva - ¼ de taza
- Cebollas amarillas - 2, rebanadas
- Dientes de ajo - 2, picados
- Mostaza - 2 cdtas.
- Pimentón dulce - 1 cdta.
- Sal y pimienta negra al gusto
- Orégano - ½ cdta. seca
- Tomillo - ½ cdta. de tomillo seco
- Una pizca de pimienta de cayena

Instrucciones

1. En un recipiente, mezcle el aceite con cayena, tomillo, orégano, pimienta negra, pimentón, mostaza y ajo. Batir bien.
2. Mezcle las cebollas con la mezcla de carne y mostaza. Revuelva para cubrir, y deje marinar en el refrigerador durante 1 día.
3. Transfiera la mezcla de carne y cebolla a una sartén y cocine en la freidora al aire a 360°F por 25 minutos.
4. Servir.

Datos nutricionales por porción

- Calorías: 384
- Grasa: 4g
- Carbohidratos: 17g
- Proteína: 25 g

Cerdo a la brasa

Tiempo de preparación: 40 minutos	Hora de cocinar: 40 minutos	Porciones: 4

Ingredientes

- Lomo de cerdo asado - 2 libras, deshuesado y cortado en cubos
- Mantequilla - 4 cucharadas, derretida
- Sal y pimienta negra al gusto
- 2 tazas de caldo de pollo
- Vino blanco seco - ½ taza
- Ajo - 2 dientes, picados
- 1 cdta. de tomillo picado
- Tomillo primavera - 1

- Laurel - 1
- Cebolla amarilla - ½, picada
- Harina blanca - 2 cdas.
- Uvas rojas - ½ libra

Método

1. Sazone los cubos de cerdo con sal y pimienta. Frotar con 2 cucharadas de mantequilla derretida y poner en la freidora de aire.
2. Cocine a 370F por 8 minutos.
3. Mientras tanto, caliente una sartén con 2 cucharadas de mantequilla a fuego medio. Agregue la cebolla y el ajo, y sofría por 2 minutos.
4. Añadir la hoja de laurel, la harina, el tomillo, la sal, la pimienta, el caldo y el vino. Mezcle bien. Dejar hervir a fuego lento y luego retirar del fuego.
5. Agregue las uvas y los cubos de cerdo. Cocine en la freidora de aire a 360°F por 30 minutos.
6. Servir.

Datos nutricionales por porción

- Calorías: 320
- Grasa: 4g

- Carbohidratos: 29g
- Proteína: 38 g

Cerdo con cuscus

Tiempo de preparación: 10 minutos	Hora de cocinar: 35 minutos	Porciones: 6

Ingredientes

- Lomo de cerdo - 2 ½ libras, deshuesado y recortado
- Caldo de pollo - ¾ de taza
- Aceite de oliva - 2 cdas.
- Pimentón dulce - ½ tbsp.
- Salvia seca - 2 ¼ tsp.
- Ajo en polvo - ½ tsp.
- Romero seco - ¼ tsp.
- Mejorana seca - ¼ tsp.
- 1 cdta. de albahaca seca
- 1 cdta. de orégano seco
- Sal y pimienta negra al gusto
- Cuscús - 2 tazas, cocido

Instrucciones

1. En un recipiente, mezcle el aceite con el caldo, sal, pimienta, orégano, mejorana, tomillo, romero, salvia, ajo en polvo y pimentón. Batir bien y agregar el lomo de cerdo. Mezclar y marinar durante 1 hora.
2. Cocine en la freidora de aire a 370F por 35 minutos.
3. Divida entre los platos y sirva con cuscús a un lado.

Datos nutricionales por porción

- Calorías: 310
- Grasa: 4g
- Carbohidratos: 37g
- Proteína: 34 g

Salsa de carne de res y cebolla

Tiempo de preparación: 10 minutos	Tiempo de cocción: 2 horas	Porciones: 6

Ingredientes

- Cebolla amarilla - 1 libra, picada
- Pecho de res - 4 libras

- Zanahoria - 1 libra, picada
- Bolsas de té - 8
- Apio - ½ libra, picada
- Sal y pimienta negra al gusto
- Agua - 4 tazas

Salsa

- Tomates enlatados - 16 onzas, picados
- Apio - ½ libra, picada
- Ajo - 1 onza, picado
- Aceite vegetal - 4 onzas
- Cebolla dulce - 1 libra, picada
- Azúcar morena - 1 taza
- Bolsas de té - 8
- Vinagre blanco - 1 taza

Instrucciones

1. Ponga 4 tazas de agua en un plato. Añada ½ libra de apio, 1 libra de zanahoria, 1 libra de cebolla, sal y pimienta. Revuelva y cocine a fuego lento y luego a fuego medio.

2. Agregue 8 bolsitas de té y carne de res. Revuelva, transfiera a la cesta de la freidora de aire y cocine a 300F durante 1 hora y 30 minutos.
3. Mientras tanto, caliente una sartén con aceite vegetal a fuego medio-alto. Añada 1 libra de cebolla. Saltear durante 10 minutos.
4. Agregue 8 bolsitas de té, sal, pimienta, vinagre, azúcar, tomates, ajo y ½ libra de apio. Revuelva y cocine a fuego lento. Cocine por 10 minutos y deseche las bolsas de té.
5. Cortar la falda de ternera en rodajas. Rocíe con salsa de cebolla y sirva.

Datos nutricionales por porción

- Calorías: 400
- Grasa: 12g
- Carbohidratos: 38g
- Proteína: 34 g

Marinada de carne de res y cebollas verdes

Tiempo de preparación: 10 minutos	Tiempo de cocción: 20 minutos	Porciones: 4

Ingredientes

- Cebolla verde - 1 taza, picada
- Salsa de soja - 1 taza
- Agua - ½ taza
- Azúcar morena - ¼ taza
- Semillas de sésamo - ¼ taza
- Ajo - 5 dientes, picados
- Pimienta negra - 1 cdta.
- Carne de res magra - 1 libra

Instrucciones

1. En un bol, mezclar la cebolla con agua, salsa de soja, ajo, azúcar, ajonjolí y pimienta. Bata y añada la carne. Marinar durante 10 minutos.
2. Escurra la carne de res. Cocine en la freidora de aire precalentada a 390F por 20 minutos.
3. Servir.

Datos nutricionales por porción

- Calorías: 329
- Grasa: 8g
- Carbohidratos: 26g

- Proteína: 22 g

Cordero y vegetales marinados

Tiempo de preparación: 10 minutos		Hora de cocinar: 30 minutos	Porciones: 4

Ingredientes

- Zanahoria - 1, picada
- Cebolla - 1, rebanada
- Aceite de oliva - ½ tbsp.
- Brotes de soja - 3 onzas
- Lomo de cordero - 8 onzas, rebanado

Para el adobo

- Ajo - 1 diente, picado
- Manzana - ½, rallada
- Sal y pimienta negra al gusto
- Cebolla amarilla pequeña - 1, rallada
- 1 cda. de jengibre rallado
- Salsa de soja - 5 cdas.

- Azúcar - 1 cda.
- Jugo de naranja - 2 cdas.

Instrucciones

1. En un recipiente, mezcle 1 cebolla rallada con pimienta negra, azúcar, jugo de naranja, salsa de soja, 1 cucharada de jengibre, ajo y manzana. Batir y añadir el cordero. Recubra y deje marinar por 10 minutos.
2. Caliente el aceite de oliva en una sartén a fuego medio-alto. Agregue 1 rebanada de cebolla, brotes de soja y zanahoria. Saltear durante 3 minutos.
3. Añada el cordero y el adobo.
4. Coloque la sartén en la freidora de aire precalentada y cocine a 360°F por 25 minutos.
5. Servir.

Datos nutricionales por porción

- Calorías: 265
- Grasa: 3g
- Carbohidratos: 18g
- Proteína: 22 g

Cordero cremoso

Tiempo de preparación: 1 día	Tiempo de cocción: 1 hora	Porciones: 8

Ingredientes

- Pierna de cordero - 5 libras
- Suero de leche bajo en grasa - 2 tazas
- Mostaza - 2 cdas.
- Mantequilla - ½ taza
- 2 cdas. de albahaca picada
- Pasta de tomate - 2 cdas.
- Ajo - 2 dientes, picados
- Sal y pimienta negra al gusto
- Vino blanco - 1 taza
- Almidón de maíz - 1 cucharada mezclada con 1 cucharada de agua
- Crema agria - ½ taza

Método

1. Coloque el cordero asado en un plato. Agregue el suero de leche y revuelva para cubrir. Tape y deje marinar en el refrigerador durante 24 horas.
2. Acaricie el cordero seco y colóquelo en una sartén que quepa en la cesta de la freidora de aire.
3. En un recipiente, mezcle la mantequilla con ajo, sal, pimienta, romero, albahaca, mostaza y pasta de tomate. Batir bien y extender sobre el cordero.
4. Poner en la freidora al aire libre y cocinar a 300F por 1 hora.
5. Corte el cordero en rodajas y divídalo entre platos.
6. Caliente los jugos de cocción de la sartén de la estufa.
7. Agregue la crema agria, la sal, la pimienta, el vino y la mezcla de maicena.
8. Retire del fuego y rocíe el cordero con esta salsa.
9. Servir.

Datos nutricionales por porción

- Calorías: 287
- Grasa: 4g
- Carbohidratos: 19g
- Proteína: 25 g

Piernas de cordero

Tiempo de preparación: 10 minutos	Hora de cocinar: 45 minutos	Porciones: 4

Ingredientes

- Piernas de cordero - 4
- Cebolla amarilla - 1, picada
- Aceite de oliva - 1 cda.
- 4 cdtas. de semillas de cilantro, trituradas
- Harina blanca - 2 cdas.
- Hojas de laurel - 4
- Miel - 2 cdtas.
- Jerez seco - 5 onzas
- Caldo de pollo - 2 tazas ½
- Sal y pimienta al gusto

Método

1. Sazonar las patas de cordero con sal y pimienta. Frote con la mitad del aceite y cocine en la freidora de aire a 360°F durante 10 minutos.

2. Caliente una sartén que quepa en la freidora de aire con el resto del aceite a fuego medio-alto. Agregue la cebolla y el cilantro. Revuelva y cocine por 5 minutos.
3. Añadir sal, pimienta, hojas de laurel, miel, caldo, jerez y harina. Revuelva, hierva a fuego lento y añada el cordero. Mezcle bien.
4. Cocine en la freidora de aire a 360°F por 30 minutos.
5. Servir.

Datos nutricionales por porción

- Calorías: 283
- Grasa: 4g
- Carbohidratos: 17g
- Proteína: 26 g

Cordero asado y patatas

Tiempo de preparación: 10 minutos	Hora de cocinar: 45 minutos	Porciones: 6

Ingredientes

- Cordero asado - 4 libras

- Romero - 1 primavera
- Ajo - 3 dientes, picados
- Patatas - 6, cortadas a la mitad
- Caldo de cordero - ½ taza
- Hojas de laurel - 4
- Sal y pimienta al gusto

Instrucciones

1. Ponga las patatas en un plato. Añadir sal, pimienta, romero, ajo, laurel, caldo y cordero. Mezclar y colocar en la freidora de aire.
2. Cocine a 360°F por 45 minutos.
3. Corte el cordero en rodajas, divídalo en platos y sírvalo con papas y jugos para cocinar.

Datos nutricionales por porción

- Calorías: 273
- Grasa: 4g
- Carbohidratos: 25 g
- Proteína: 29 g

Capítulo 9: Recetas de verduras

Pastel de espinacas

Tiempo de preparación: 10 minutos	Tiempo de cocción: 15 minutos	Porciones: 4

Ingredientes

- Harina - 7 onzas
- Mantequilla - 2 cdas.
- Espinaca - 7 onzas
- Aceite de oliva - 1 cda.
- Huevos - 2
- Leche - 2 cdas.
- Queso cottage - 3 onzas
- Sal y pimienta negra al gusto
- Cebolla amarilla - 1, picada

Instrucciones

1. En un procesador de alimentos, mezcle la harina con mantequilla, leche, 1 huevo, sal y pimienta. Mezcle

bien y transfiera a un tazón. Amasar, tapar y dejar reposar durante 10 minutos.

2. Caliente el aceite en una sartén a fuego medio-alto. Agregue las espinacas y la cebolla. Saltear durante 2 minutos.
3. Añadir el huevo restante, el requesón, la sal y la pimienta. Mezclar bien y retirar del fuego.
4. Dividir la masa en 4 trozos. Enrolle cada pieza y colóquela en el fondo de un molde. Agregue el relleno de espinacas sobre la masa, coloque los moldes en la cesta de la freidora de aire y cocine a 360°F por 15 minutos.
5. Servir.

Datos nutricionales por porción

- Calorías: 250
- Grasa: 12g
- Carbohidratos: 23g
- Proteína: 12 g

Alcachofas balsámicas

Tiempo de preparación: 10 minutos	Tiempo de cocción: 7 minutos	Porciones: 4

Ingredientes

- Alcachofas grandes - 4, cortadas
- Sal y pimienta negra al gusto
- Jugo de limón - 2 cdas.
- Aceite de oliva extra virgen - ¼ taza
- 2 cucharaditas de vinagre balsámico
- 1 cdta. de orégano, seco
- Ajo - 2 dientes, picados

Instrucciones

1. Sazone las alcachofas con sal y pimienta. Frotar con la mitad del zumo de limón y la otra mitad del aceite. Cocine en la freidora de aire a 360°F por 7 minutos.
2. Mientras tanto, en un tazón, combine el aceite restante y el jugo de limón con vinagre, sal, pimienta, ajo y orégano. Mezcle bien.
3. Coloque las alcachofas en una bandeja. Rocíe la vinagreta balsámica sobre ellos y sirva.

Datos nutricionales por porción

- Calorías: 200
- Grasa: 3g

- Carbohidratos: 12g
- Proteína: 4 g

Ensalada de remolacha y aderezo de perejil

Tiempo de preparación: 10 minutos	Tiempo de cocción: 14 minutos	Porciones: 4

Ingredientes

- Remolachas - 4
- Vinagre balsámico - 2 cdas.
- Perejil - 1 manojo, picado
- Sal y pimienta negra al gusto
- Aceite de oliva extra virgen - 1 cda.
- Ajo - 1 diente picado
- Alcaparras - 2 cdas.

Instrucciones

1. Ponga las remolachas en la freidora de aire y cocine a 360°F por 14 minutos.

2. Mientras tanto, en un recipiente, combine el ajo, el perejil, el aceite de oliva, la sal, la pimienta y las alcaparras, y mezcle bien.
3. Retirar las remolachas y enfriarlas. Pelarlos y cortarlos en rodajas.
4. Añada el vinagre, rocíe el aderezo de perejil y sirva.

Datos nutricionales por porción

- Calorías: 70
- Grasa: 2g
- Carbohidratos: 6g
- Proteína: 4 g

Ensalada de broccoli

Tiempo de preparación: 10 minutos	Tiempo de cocción: 8 minutos	Porciones: 4

Ingredientes

- Brócoli - 1 cabeza, con ramilletes separados
- Aceite de maní - 1 cda.
- Ajo - 6 dientes, picados

- 1 cucharada de vinagre de vino de arroz chino
- Sal y pimienta negra al gusto

Instrucciones

1. En un tazón, mezcle el brócoli con la mitad del aceite, sal y pimienta.
2. Cocine en la freidora de aire a 350F por 8 minutos. Agitar una vez.
3. Transfiera el brócoli a un tazón. Añada el resto del aceite de maní, el vinagre de arroz y el ajo, y mezcle bien.
4. Servir.

Datos nutricionales por porción

- Calorías: 121
- Grasa: 3g
- Carbohidratos: 4g
- Proteína: 4 g

Mezcla de coles de bruselas y tomates

Tiempo de preparación: 5 minutos	Tiempo de cocción: 10 minutos	Porciones: 4

Ingredientes

- Coles de Bruselas - 1 libra, recortadas
- Sal y pimienta negra al gusto
- Tomates cherry - 6, cortados por la mitad
- Cebolla verde - ¼ de taza, picada
- Aceite de oliva - 1 cda.

Instrucciones

1. Sazone las coles de Bruselas con sal y pimienta.
2. Cocine en la freidora de aire a 350F por 10 minutos.
3. Transfiera a un tazón. Añadir aceite de oliva, cebollas verdes, tomates cherry, sal y pimienta. Revuelva y sirva.

Datos nutricionales por porción

- Calorías: 121
- Grasa: 4g
- Carbohidratos: 11g
- Proteína: 4 g

Repollo picante

Tiempo de preparación: 10 minutos	Tiempo de cocción: 8 minutos	Porciones: 4

Ingredientes

- Repollo - 1, cortado en 8 trozos
- Aceite de sésamo - 1 cda.
- Zanahoria - 1, rallada
- Vinagre de sidra de manzana - ¼ de taza
- Jugo de manzana - ¼ de taza
- Pimienta de Cayena - ½ tsp.
- 1 cdta. de hojuelas de pimiento rojo, machacadas

Instrucciones

1. En una sartén, combine el repollo con las hojuelas de pimienta, la cayena, el jugo de manzana, el vinagre, la zanahoria y el aceite. Revuelva para mezclar.
2. Coloque la sartén en la freidora de aire precalentada y cocine a 350°F durante 8 minutos.
3. Coloque la mezcla de col en los platos y sirva.

Datos nutricionales por porción

- Calorías: 100
- Grasa: 4g
- Carbohidratos: 11g
- Proteína: 7 g

Plato de zanahorias dulces para bebés

Tiempo de preparación: 10 minutos	Tiempo de cocción: 10 minutos	Porciones: 4

Ingredientes

- Zanahorias pequeñas - 2 tazas
- Sal y pimienta negra al gusto
- Azúcar morena - 1 cda.
- Mantequilla - ½ cda., derretida

Instrucciones

1. En un plato, mezcle las zanahorias pequeñas con azúcar, mantequilla, sal y pimienta.

2. Coloque el plato en la freidora de aire y cocine a 350F por 10 minutos.
3. Servir.

Datos nutricionales por porción

- Calorías: 100
- Grasa: 2g
- Carbohidratos: 7g
- Proteína: 4 g

Mezcla de hojas de col rizada

Tiempo de preparación: 10 minutos	Tiempo de cocción: 10 minutos	Porciones: 4

Ingredientes

- Col rizada - 1 manojo, cortada
- Aceite de oliva - 2 cdas.
- Pasta de tomate - 2 cdas.
- Cebolla amarilla - 1, picada
- Ajo - 3 dientes, picados

- Sal y pimienta negra al gusto
- 1 cucharada de vinagre balsámico
- Azúcar - 1 cdta.

Instrucciones

1. En un recipiente, mezcle el puré de tomate, la cebolla, el vinagre, el ajo y el aceite. Bata.
2. Agregue el azúcar, la sal, la pimienta y la col rizada. Mezclar.
3. Coloque el tazón en la freidora de aire y cocine a 320°F por 10 minutos.
4. Servir.

Datos nutricionales por porción

- Calorías: 121
- Grasa: 3g
- Carbohidratos: 7g
- Proteína: 3 g

Mezcla de berenjenas y calabacines con hierbas

Tiempo de preparación: 10 minutos	Tiempo de cocción: 8 minutos	Porciones: 4

Ingredientes

- Berenjena - 1, en cubos
- Calabacines - 3, aproximadamente en cubos
- Jugo de limón - 2 cdas.
- Sal y pimienta negra al gusto
- 1 cdta. de tomillo, seco
- 1 cdta. de orégano, seco
- Aceite de oliva - 3 cdas.

Instrucciones

1. Ponga la berenjena en un plato. Agregue aceite de oliva, orégano, tomillo, sal, pimienta, jugo de limón y calabacines. Revuelva para mezclar.
2. Coloque el plato en la freidora de aire y a 360°F durante 8 minutos.
3. Servir.

Datos nutricionales por porción

- Calorías: 152

- Grasa: 5g
- Carbohidratos: 19g
- Proteína: 5 g

Hinojo saborizado

Tiempo de preparación: 10 minutos	Tiempo de cocción: 8 minutos	Porciones: 4

Ingredientes

- Bulbos de hinojo - 2, cortados en cuartos
- Aceite de oliva - 3 cdas.
- Sal y pimienta negra al gusto
- Ajo - 1 diente, picado
- Pimiento rojo - 1, picado
- Caldo vegetal - ¾ de taza
- Jugo de limón ½ taza
- Vino blanco - ¼ taza
- Parmesano - ¼ de taza, rallada

Ingredientes

1. Caliente el aceite en una sartén a fuego medio-alto. Agregue el ajo y el chile. Saltear durante 2 minutos.
2. Agregue el parmesano, el jugo de limón, el vino, el caldo, la sal, la pimienta y el hinojo. Revuelva para abrigar.
3. Coloque la sartén en la freidora de aire y cocine a 350°F durante 6 minutos.
4. Servir.

Datos nutricionales por porción

- Calorías: 100
- Grasa: 4g
- Carbohidratos: 4g
- Proteína: 4 g

Ensalada de quingombó y maíz

Tiempo de preparación: 10 minutos	Tiempo de cocción: 12 minutos	Porciones: 6

Ingredientes

- Quingombó - 1 libra, recortada
- 6 cebollines, picados
- Pimientos verdes - 3, picados
- Sal y pimienta negra al gusto
- Aceite de oliva - 2 cdas.
- Azúcar - 1 cdta.
- Tomates enlatados - 28 onzas, picados
- Maíz - 1 taza

Intsrucciones

1. Caliente el aceite en una sartén a fuego medio-alto. Agregue los pimientos y los cebollines, revuelva y cocine por 5 minutos.
2. Agregue el maíz, los tomates, el azúcar, la sal, la pimienta y el quingombó. Mezclar.
3. Coloque la sartén en la freidora al aire libre y cocine a 360ºF durante 7 minutos.
4. Servir.

Datos nutricionales por porción

- Calorías: 152
- Grasa: 4g

- Carbohidratos: 18g
- Proteína: 4 g

Puerros fritos

Tiempo de preparación: 10 minutos	Tiempo de cocción: 7 minutos	Porciones: 4

Ingredientes

- Puerros - 4, lavados, con las puntas cortadas por la mitad
- Sal y pimienta negra al gusto
- Mantequilla - 1 cucharada, derretida
- Jugo de limón - 1 cda.

Instrucciones

1. Frote los puerros con mantequilla derretida y sazone con sal y pimienta.
2. Poner en la freidora de aire y cocinar a 350F por 7 minutos.
3. Colóquelo en una bandeja. Rocíe con jugo de limón y sirva.

Datos nutricionales por porción

- Calorías: 100
- Grasa: 4g
- Carbohidratos: 6g
- Proteína: 2 g

Patatas crujientes y perejil

Tiempo de preparación: 10 minutos	Tiempo de cocción: 10 minutos	Porciones: 4

Ingredientes

- Patatas doradas - 1 libra, cortadas en trozos
- Sal y pimienta negra al gusto
- Aceite de oliva - 2 cdas.
- Jugo de un limón - ½ taza
- Hojas de perejil - ¼ de taza, picada

Instrucciones

1. Frote las patatas con aceite de oliva, jugo de limón, sal y pimienta.

2. Ponerlos en la freidora de aire y cocinarlos a 350F por 10 minutos.
3. Divida entre los platos, espolvoree el perejil por encima y sirva.

Datos nutricionales por porción

- Calorías: 152
- Grasa: 3g
- Carbohidratos: 17g
- Proteína: 4 g

Ensalada de nabos

Tiempo de preparación: 10 minutos	Tiempo de cocción: 12 minutos	Porciones: 4

Ingredientes

- Nabos - 20 onzas, pelados y picados
- 1 cdta. de ajo picado
- 1 cdta. de jengibre rallado
- Cebolla amarilla - 2, picada

- Tomates - 2, picados
- 1 cdta. de comino molido
- 1 cdta. de cilantro molido
- Chile verde - 2, picados
- Polvo de cúrcuma - ½ tsp.
- Mantequilla - 2 cdas.
- Sal y pimienta negra al gusto
- Hojas de cilantro picadas - 1 puñado

Instrucciones

1. Derretir la mantequilla en una sartén. Agregue el jengibre, el ajo y los chiles verdes. Saltear durante 1 minuto.
2. Añadir los nabos, el cilantro molido, el comino, la cúrcuma, los tomates, la sal, la pimienta y la cebolla. Revuelva para mezclar.
3. Poner en la freidora al aire libre y cocinar a 350F por 10 minutos.
4. Espolvorear con cilantro fresco y servir.

Datos nutricionales por porción

- Calorías: 100

- Grasa: 3g
- Carbohidratos: 12g
- Proteína: 4 g

Capítulo 10: Recetas de postres

Pastel de plátano

Tiempo de preparación: 10 minutos	Hora de cocinar: 30 minutos	Porciones: 4

Ingredientes

- Mantequilla blanda - 1 cda.
- Huevo - 1
- Azúcar morena - 1/3 de taza
- Miel - 2 cdas.
- Plátano - 1, pelado y machacado
- Harina blanca - 1 taza
- Polvo de hornear - 1 cdta.
- Canela en polvo - ½ tsp.
- Spray de cocina

Instrucciones

1. Rocíe un molde para tortas con rocío de cocina y colóquelo a un lado.

2. En un recipiente, mezcle la harina, el polvo de hornear, la canela, el huevo, la miel, el plátano, el azúcar y la mantequilla. Bata.
3. Vierta la masa en el molde engrasado y cocine en la freidora de aire a 350°F durante 30 minutos.
4. Enfríe, corte y sirva.

Datos nutricionales por porción

- Calorías: 232
- Grasa: 4g
- Carbohidratos: 34g
- Proteína: 4 g

Tarta de queso

Tiempo de preparación: 10 minutos	Tiempo de cocción: 15 minutos	Porciones: 15

Ingredientes

- Queso crema - 1 libra
- Extracto de vainilla - ½ tsp.

- Huevos - 2
- Azúcar - 4 cdas.
- Galletas Graham - 1 taza, desmenuzadas
- Mantequilla - 2 cdas.

Instrucciones

1. Mezcle las galletas con la mantequilla en un tazón.
2. Presione la mezcla de galletas saladas en el fondo de un molde forrado.
3. Poner en la freidora al aire libre y cocinar a 350F por 4 minutos.
4. Mientras tanto, en un tazón, mezcle los huevos, el queso crema, el azúcar y la vainilla, y bata bien.
5. Esparza el relleno sobre la corteza de las galletas y cocine en la freidora de aire a 310°F durante 15 minutos.
6. Deje enfriar y mantenga en el refrigerador por 3 horas.
7. Cortar y servir.

Datos nutricionales por porción

- Calorías: 245
- Grasa: 12g
- Carbohidratos: 20 g

- Proteína: 3 g

Pudín de pan

Tiempo de preparación: 10 minutos	Tiempo de cocción: 1 hora	Porciones: 4

Ingredientes

- Rosquillas glaseadas - 6, desmenuzadas
- Cerezas - 1 taza
- Huevo - 4 yemas
- Crema batida - 1 ½ taza
- Pasas - ½ taza
- Azúcar - ¼ de taza
- Chispas de chocolate - ½ taza

Instrucciones

1. En un recipiente, mezcle las cerezas con las yemas de huevo y la crema batida, y revuelva bien.
2. En otro tazón, mezcle las donas, las chispas de chocolate, el azúcar y las pasas.

3. Combine 2 mezclas y transfiera todo a una sartén engrasada que quepa en su freidora de aire y cocine a 310F por 1 hora.
4. Enfríe el pudín antes de cortarlo y luego sírvalo.

Datos nutricionales por porción

- Calorías: 302
- Grasa: 8g
- Carbohidratos: 23g
- Proteína: 10 g

Rollos de canela y crema de queso

Tiempo de preparación: 2 horas	Tiempo de cocción: 15 minutos	Porciones: 8

Ingredientes

- Masa de pan - 1 libra
- Azúcar morena - ¾ de taza
- Canela - 1 ½ cda., molida
- Mantequilla - ¼ de taza, derretida

Para la salsa de queso crema

- Mantequilla - 2 cdas.
- Queso crema - 4 onzas
- Azúcar - 1 ¼ taza
- Vainilla - ½ tsp.

Instrucciones

1. Enrolle la masa sobre una superficie de trabajo enharinada, forme un rectángulo y pincele con una taza de mantequilla.
2. Mezcle el azúcar y la canela en un tazón. Espolvorear esto sobre la masa. Enrolle la masa en un tronco. Selle bien y corte en 8 trozos.
3. Deje que los rollos se levanten durante 2 horas. Colóquelas en la cesta de la freidora de aire.
4. Cocine a 350F por 5 minutos. Luego voltee y cocine por 4 minutos más.
5. Transfiera a un plato.
6. En un recipiente, mezcle la mantequilla, el queso crema, el azúcar y la vainilla. Batir bien.
7. Sirva los rollos de canela con esta salsa de queso crema.

Datos nutricionales por porción

- Calorías: 200
- Grasa: 1g
- Carbohidratos: 5g
- Proteína: 6 g

Pastel de calabaza

Tiempo de preparación: 10 minutos	Tiempo de cocción: 15 minutos	Porciones: 9

Ingredientes

- Azúcar - 1 cda.
- Harina - 2 cdas.
- Mantequilla - 1 cda.
- Agua - 2 cdas.

Para el relleno de tarta de calabaza

- Carne de calabaza - 3.5 onzas, picada
- Mezcla de especias - 1 cdta.
- Nuez moscada - 1 cdta.

- Agua - 3 onzas
- Huevo - 1, batido
- Azúcar - 1 cda.

Instrucciones

1. Ponga 3 onzas de agua en una olla. Hierva y agregue la calabaza, 1 cucharada de azúcar, huevo, especias y nuez moscada. Revuelva y hierva durante 20 minutos.
2. Retirar del fuego y mezclar con una batidora manual.
3. En un recipiente, mezcle la mantequilla, la harina, 2 cucharadas de agua y 1 cucharada de azúcar. Amasar bien la masa.
4. Engrasar un molde para tartas con mantequilla. Presionar la masa en la sartén. Rellenar con relleno de tarta de calabaza.
5. Colocar en la cesta de la freidora de aire y cocinar a 360°F durante 15 minutos.
6. Servir.

Datos nutricionales por porción

- Calorías: 200
- Grasa: 5g
- Carbohidratos: 5g
- Proteína: 6 g

Donuts de Fresa

Tiempo de preparación:	Tiempo de cocción:	Porciones:
10 minutos	15 minutos	4

Ingredientes

- Harina - 8 onzas
- Azúcar morena - 1 cda.
- Azúcar blanco - 1 cda.
- Huevo - 1
- Mantequilla - 2 ½ cda.
- Leche entera - 4 onzas
- Polvo de hornear - 1 cdta.

Para el glaseado de fresa

- Mantequilla - 2 cdas.
- Azúcar glasé - 3.5 onzas
- Coloración rosa - ½ tsp.
- Fresas - ¼ de taza, picada
- Crema batida - 1 cda.

Instrucciones

1. En un tazón, mezcle la harina, 1 cucharada de azúcar blanca, 1 cucharada de azúcar morena y mantequilla, y revuelva.
2. En otro recipiente, mezcle el huevo con 1 cucharada de mantequilla y leche, y revuelva bien.
3. Combine las 2 mezclas, revuelva y dé forma a las donas de esta mezcla. Colóquelos en la cesta de la freidora de aire y cocínelos a 360°F durante 15 minutos.
4. Mezcle el puré de fresas, la crema batida, el colorante de los alimentos, el azúcar glasé y 1 cucharada de mantequilla, y bata bien.
5. Coloque las donas en una bandeja y sirva con el glaseado de fresa encima.

Datos nutricionales por porción

- Calorías: 250
- Grasa: 12g
- Carbohidratos: 32g
- Proteína: 4 g

Pastel de Cacao

Tiempo de preparación: 10 minutos	Tiempo de cocción: 17 minutos	Porciones: 6

Ingredientes

- Mantequilla - 3.5 onzas, derretida
- Huevos - 3
- Azúcar - 3 onzas
- 1 cdta. de cacao en polvo
- Harina - 3 onzas
- Jugo de limón - ½ tsp.

Instrucciones

1. En un recipiente, mezcle el cacao en polvo con 1 cucharada de mantequilla y bata.
2. En otro recipiente, mezcle el resto de la mantequilla con el jugo de limón, la harina, los huevos y el azúcar. Bata bien y vierta la mitad en un molde para tortas.
3. Añadir la mitad de la mezcla de cacao, untar, añadir el resto de la capa de mantequilla y cubrir con el resto del cacao.
4. Cocine en la freidora de aire a 360°F por 17 minutos.
5. Enfríe, corte y sirva.

Datos nutricionales por porción

- Calorías: 340
- Grasa: 11g

- Carbohidratos: 25 g
- Proteína: 5 g

Pastel de Chocolate

Tiempo de preparación: 10 minutos	Hora de cocinar: 30 minutos	Porciones: 12

Ingredientes

- Harina blanca - ¾ de taza
- Harina de trigo integral - ¾ de taza
- Bicarbonato de sodio - 1 cdta.
- Especia para pastel de calabaza - ¾ tsp.
- Azúcar - ¾ de taza
- Plátano - 1, machacado
- Polvo de hornear - ½ tsp.
- Aceite de canola - 2 cdas.
- Yogur griego - ½ taza
- Puré de calabaza en lata - 8 onzas
- Spray de cocina
- Huevo - 1

- Extracto de vainilla - ½ tsp.
- Chispas de chocolate - 2/3 de taza

Instrucciones

1. En un tazón, mezcle la harina de trigo integral, la harina blanca, la sal, el bicarbonato de sodio, el polvo de hornear y la especia de calabaza, y revuelva.
2. En otro tazón, combine el huevo, la vainilla, el puré de calabaza, el yogur, el plátano, el aceite y el azúcar. Mezclar con una batidora.
3. Combine las dos mezclas y añada las chispas de chocolate. Vierta esto en una cacerola engrasada de Bundit.
4. Colocar en la freidora al aire libre y cocinar a 330°F por 30 minutos.
5. Enfríe, corte y sirva.

Datos nutricionales por porción

- Calorías: 232
- Grasa: 7g
- Carbohidratos: 29g
- Proteína: 4 g

Pan de Manzana

Tiempo de preparación: 10 minutos	Hora de cocinar: 40 minutos	Porciones: 6

Ingredientes

- Manzanas - 3, sin corazón y en cubos
- Azúcar - 1 taza
- Vainilla - 1 cda.
- Huevos - 2
- 1 cda. de especias para pastel de manzana
- Harina blanca - 2 tazas
- Polvo de hornear - 1 cda.
- Mantequilla - 1 barra
- Agua - 1 taza

Instrucciones

1. En un tazón, mezcle 1 barra de mantequilla, huevo, especias de pastel de manzana y azúcar. Revuelva con una batidora.
2. Agregue las manzanas y revuelva bien.
3. En otro recipiente, mezcle la harina y el polvo de hornear.

4. Combinar las dos mezclas. Revuelva y vierta en una olla con forma de resorte.
5. Ponga la sartén con forma de resorte en la freidora de aire y cocine a 320F por 40 minutos.
6. Cortar y servir.

Datos nutricionales por porción

- Calorías: 192
- Grasa: 6g
- Carbohidratos: 14g
- Proteína: 7 g

Mini pasteles de lava

Tiempo de preparación: 10 minutos	Tiempo de cocción: 20 minutos	Porciones: 3

Ingredientes

- Huevo - 1
- Azúcar - 4 cdas.
- Aceite de oliva - 2 cdas.

- Leche - 4 cdas.
- Harina - 4 cdas.
- Cacao en polvo - 1 cda.
- Polvo de hornear - ½ tsp.
- Cáscara de naranja - ½ tsp.

Instrucciones

1. En un recipiente, combine el aceite, el azúcar, la leche, el huevo, la harina, la sal, el cacao en polvo, el polvo de hornear y la cáscara de naranja. Mezclar bien y vertir en moldes engrasados.
2. Añada los ramekins a la freidora de aire y cocine a 320F por 20 minutos.
3. Servir.

Datos nutricionales por porción

- Calorías: 201
- Grasa: 7g
- Carbohidratos: 23g
- Proteína: 4 g

Tarta de zanahoria

Tiempo de preparación: 10 minutos	Hora de cocinar: 45 minutos	Porciones: 6

Ingredientes

- Harina - 5 onzas
- Polvo para hornear - ¾ tsp.
- Bicarbonato de sodio - ½ tsp.
- Canela en polvo - ½ tsp.
- Pimienta de Jamaica - ½ tsp.
- Nuez moscada - ¼ tsp.
- Huevo - 1
- Yogur - 3 cdas.
- Azúcar - ½ taza
- Jugo de piña - ¼ de taza
- Aceite de girasol - 4 cdas.
- Zanahorias - 1/3 de taza, ralladas
- Nueces - 1/3 de taza, tostadas y picadas
- Copos de coco - 1/3 de taza, rallados
- Spray de cocina

Instrucciones

1. En un tazón, combine la harina, nuez moscada, canela, pimienta de Jamaica, sal, bicarbonato de soda y polvo, y mezcle.
2. En otro recipiente, mezcle el huevo con copos de coco, nueces, zanahorias, aceite, jugo de piña, azúcar y yogur.
3. Combinar las dos mezclas y mezclar bien. Vierta esto en un molde de forma de resorte engrasado.
4. Coloque la sartén en la freidora al aire libre y cocine a 320°F durante 45 minutos.
5. Enfríe, corte y sirva.

Datos nutricionales por porción

- Calorías: 200
- Grasa: 6g
- Carbohidratos: 22g
- Proteína: 4 g

Tarta de queso de jengibre

Tiempo de preparación: 2 horas y 10 minutos	Tiempo de cocción: 20 minutos	Porciones: 6

Ingredientes

- Mantequilla - 2 cdtas., derretida
- Galletas de jengibre - ½ taza, desmenuzada
- Queso crema - 16 onzas, suave
- Huevos - 2
- Azúcar - ½ taza
- Ron - 1 cdta.
- Extracto de vainilla - ½ tsp.
- Nuez moscada - ½ cdta., molida

Instrucciones

1. Engrasar una sartén con mantequilla y untar las migas de galleta en el fondo.
2. En un bol, bata el queso crema, los huevos, el ron, la vainilla y la nuez moscada. Batir bien y esparcir sobre las migas de galleta.
3. Poner en la freidora de aire y cocinar a 340°F por 20 minutos.
4. Deje enfriar y guarde en el refrigerador.

5. Cortar y servir.

Datos nutricionales por porción

- Calorías: 412
- Grasa: 12g
- Carbohidratos: 20 g
- Proteína: 6 g

Pastel de Fresa

Tiempo de preparación: 10 minutos	Tiempo de cocción: 20 minutos	Porciones: 12

Ingredientes para la corteza

- Coco - 1 taza, rallado
- Semillas de girasol - 1 taza
- Mantequilla - ¼ de taza

Para el llenado

- Gelatina - 1 cdta.

- Queso crema - 8 onzas
- Fresas - 4 onzas
- Agua - 2 cdas.
- Jugo de limón - ½ tbsp.
- Stevia - ¼ tsp.
- Crema espesa - ½ taza
- Fresas - 8 onzas, picadas para servir

Instrucciones

1. Mezcle las semillas de girasol, el coco, la mantequilla y la sal en un procesador de alimentos. Pulsar y presionar la mezcla en el fondo de un molde para tortas.
2. Caliente una sartén con agua a fuego medio. Agregue la gelatina y revuelva hasta que se disuelva. Deje a un lado para que se enfríe.
3. Coloque la mezcla de gelatina, 4 onzas de fresas, jugo de limón, queso crema y stevia en un procesador de alimentos. Mezcle bien.
4. Agregue la crema espesa, revuelva bien y extienda sobre la corteza. Cubra con 8 onzas de fresas.
5. Colocar en la freidora al aire libre y cocinar a 330°F por 15 minutos.
6. Conservar en la nevera hasta que se sirva.

Datos nutricionales por porción

- Calorías: 234
- Grasa: 23g
- Carbohidratos: 6g
- Proteína: 7 g

Pastel de queso con café

Tiempo de preparación: 10 minutos	Tiempo de cocción: 20 minutos	Porciones: 6

Ingredientes para las tartas de queso

- Mantequilla - 2 cdas.
- Queso crema - 8 onzas
- Café - 3 cdas.
- Huevos - 3
- Azúcar - 1/3 taza
- Jarabe de caramelo - 1 cda.

Para el glaseado

- Jarabe de caramelo - 3 cdas.

- Mantequilla - 3 cdas.
- Queso Mascarpone - 8 onzas, suave
- Azúcar - 2 cdas.

Instrucciones

1. En la licuadora, mezcle los huevos, el queso crema, 1/3 taza de azúcar, 1 cucharada de jarabe de caramelo, café y 2 cucharadas de mantequilla. Pulsar muy bien y poner en una cacerola para magdalenas.
2. Cocine en la freidora de aire a 320°F durante 20 minutos.
3. Dejar enfriar y mantener en el congelador durante 3 horas.
4. Mientras tanto, en un tazón, mezcle el mascarpone, 2 cucharadas de azúcar, 3 cucharadas de jarabe de caramelo y 3 cucharadas de mantequilla. Mezcle bien y sirva con una cuchara sobre los pasteles de queso.

Datos nutricionales por porción

- Calorías: 254
- Grasa: 23g
- Carbohidratos: 21g
- Proteína: 5 g

Brownies especiales

Tiempo de preparación: 10 minutos	Tiempo de cocción: 17 minutos	Porciones: 4

Ingredientes

- Huevo - 1
- Cacao en polvo - 1/3 taza
- Azúcar - 1/3 de taza
- Mantequilla - 7 cdas.
- Extracto de vainilla - ½ tsp.
- Harina blanca - ¼ de taza
- Nueces - ¼ de taza, picada
- Polvo de hornear - ½ tsp.
- Mantequilla de maní - 1 cda.

Instrucciones

1. Añada 6 cucharadas de mantequilla y azúcar en una sartén y caliente a fuego medio. Revuelva y cocine por 5 minutos. Transfiera a un tazón.
2. Agregue la harina, las nueces, el polvo de hornear, el huevo, el cacao en polvo, el extracto de vainilla y la sal. Mezclar bien y vertir en una sartén.

3. En un tazón, mezcle la mantequilla de maní y 1 cucharada de mantequilla. Calentar en el microondas durante unos segundos. Mezclar bien y rociar sobre la mezcla de brownies.
4. Coloque la sartén en la freidora de aire y hornee a 320°F por 17 minutos.
5. Enfríe, corte y sirva.

Datos nutricionales por porción

- Calorías: 223
- Grasa: 32g
- Carbohidratos: 3g
- Proteína: 6 g

Conclusión

La comida frita es deliciosa, y a la mayoría de nosotros nos encanta. Sin embargo, el problema es que no es buena para nuestros cuerpos. La freidora de aire es una máquina tremendamente popular que cocina los alimentos en una de las formas más sanas y sabrosas imaginables. La freidora de aire le ayuda a cocinar los alimentos sin usar mucho aceite. Como resultado, usted consume menos calorías, se mantiene saludable y evita el aumento de peso. Este completo libro de cocina para freidora de aire mejorará su limitado tiempo de cocción y le proporcionará deliciosas recetas.

Gracias

Antes de que se vayas, sólo quería darle las gracias por comprar mi libro.

Podría haber escogido entre docenas de otros libros sobre el mismo tema, pero se arriesgó y elegió éste.

Así que, un ENORME agradecimiento a usted por conseguir este libro y por leer todo hasta el final.

Ahora quería pedirle un pequeño favor. **¿Podría considerar la posibilidad de publicar un comentario en la plataforma? Las reseñas son una de las formas más fáciles de apoyar el trabajo de los autores.**

Esta retroalimentación me ayudará a continuar escribiendo el tipo de libros que le ayudarán a obtener los resultados que desea. Así que si lo disfrutó, por favor, hágamelo saber.

CPSIA information can be obtained
at www.ICGtesting.com
Printed in the USA
LVHW020940260422
717221LV00010B/694